D0310886

De klas van Daan gaat voor goud!

www.deklasvandaan.nl
www.ploegsma.nl
www.renevdvelde.nl
www.mark-janssen.nl

René van der Velde

De klas van Daan gaat voor goud!

met illustraties van Mark Janssen

Uitgeverij Ploegsma Amsterdam

ISBN 978 90 216 6803 1 / NUR 281/282

Vormgeving: Nancy Koot

Uitgeverij Ploegsma drukt haar boeken op papier met het FSC-keurmerk.
Zo helpen we waardevolle oerbossen te behouden.

Inhoud

Zwaargewond

Het is ijskoud. Daan staat te rillen bij de kastanjeboom. Naast hem staat Samira, zijn beste vriendin, van haar ene been op het andere te springen. Om warm te blijven. Ze hebben geen van beiden zin om buiten te spelen. De andere kinderen van de klas zijn aan het overgooien met de nieuwe bal van Mehmet. Veel te koud, zeker nu Daan zijn handschoenen binnen heeft laten liggen op de verwarming.

Meester Fred heeft gezegd dat je niet meer naar binnen mag. 'Alleen als je zwaargewond bent.' Dat grapje maakt hij altijd. Daarna heeft hij de deur op slot gedraaid. 'Dan blijft de warmte lekker binnen.'

Helemaal niet lekker. Het zou veel handiger zijn wanneer alle warmte naar buiten kwam!

Daan wrijft zijn blote handen snel heen en weer.

Samira steekt een handschoen naar voren. 'We kunnen samendoen?'

Daan schudt zijn hoofd. 'Hoeft niet.' Hij blaast met zijn warme adem een rookwolk in zijn ijskoude handen.

'Betrapt!' Een grote jongen uit de bovenbouw komt naast hen staan. 'Stiekem roken achter de boom, hè?'

Daan kent de jongen wel. Hij zit bij zijn zus in de klas. Daan probeert te lachen, maar het lijkt meer op bibberen.

'Heb je geen handschoenen bij je?'

Daan zucht. 'Die liggen nog in de klas.'

'Dan haal je ze toch?'

'Dat mag niet,' zegt Samira. 'Alleen als je zwaargewond bent.'

'O, laat maar even aan mij over,' zegt de jongen. 'Welke kleur?'

'Rood,' zegt Daan.

'Met blauwe strepen,' zegt Samira, 'net als zijn muts.'

Daan wil nog zeggen dat de deur op slot zit, maar de jongen rent al weg.

Binnen een minuut is hij weer terug. 'De deur zit dicht. Belachelijk!'

Er komen nog een paar grote kinderen bij staan. 'Wat is er aan de hand, Glenn?'

Glenn slaat een arm om Daans schouder. 'Gevalletje van ernstige kou!'

'En we kunnen niet naar binnen,' roept Samira, 'de deur zit op slot!'

Daan heeft het eigenlijk helemaal niet zo koud meer. Maar dat zegt hij natuurlijk niet.

'Kom mee,' roept een lang meisje met een grappige drakenmuts, 'dan gaan we aanbellen!'

Ze lopen met z'n allen naar de voordeur. Er komen steeds meer kinderen bij. Het meisje drukt extra lang op de bel.

Even blijft het helemaal stil. Maar dan klinken er harde klikklak voetstappen in de gang.

'O jee, het is Friet,' zegt het meisje met de drakenmuts. 'Dan kunnen we het wel vergeten.'

Daan doet een stapje achteruit. Ze heet eigenlijk juf Riet, maar iedereen noemt haar Friet. Daan vindt haar niet zo aardig. Ze kijkt altijd zo streng.

Juf Riet duwt de deur een klein beetje open. 'Wat willen jullie?' Haar stem klinkt ook streng.

Glenn duwt Daan weer naar voren. 'Deze jongen heeft het hartstikke koud, juf Riet. Hij is bijna bevroren. Mag hij alstublieft zijn handschoenen even pakken?'

Juf Riet laat haar dikke wenkbrauwen bijna over haar ogen zakken. 'Waarom heb je ze niet direct meegenomen?'

Daan voelt zijn hart keihard bonzen. Hij durft niks te zeggen.

'Nou, kun je nog praten? Of is je tong soms bevroren?' Juf Riet grinnikt om haar eigen grapje.

Gelukkig durft Samira wel. 'Hij is het vergeten, juf Riet. Ze liggen nog op de verwarming.'

'Nou, dat is een prima plek,' zegt juf Riet. 'Dan zijn ze vanmiddag extra warm.'

En zonder nog iets te zeggen trekt ze de deur met een klap dicht.

Bijna alle kinderen van het schoolplein staan nu bij de kastanjeboom. Ook de zus van Daan.

'Niet zo slim, broertje,' zegt ze. 'Je moet altijd als eerste je handschoenen pakken.'

Glenn staat nog steeds bij Daan. 'Dank je wel voor de goede raad, Charlotte, maar daar heeft hij nu niks aan. Jouw broertje staat hier te bevriezen.'

Daan zegt niets. Eigenlijk heeft hij het hartstikke heet gekregen. Hij gloeit helemaal onder zijn jas.

Het meisje met de drakenmuts gaat op het bankje naast de boom staan. 'Jongens en meisjes, wij hebben een groot probleem. Deze jongen is bijna bevroren en de meesters en juffen weigeren om de deur open te doen. Wie heeft er nu nog een goed plan?'

'Misschien kunnen we door een raam klimmen, Susan?' roept iemand.

'Goed idee,' zegt Susan, 'maar ik denk niet dat er met deze kou een raam openstaat.'

Een grote jongen met een rood ski-jack aan steekt een handschoen omhoog. 'Hij mag die van mij wel even aan.'

'Ja, die van mij ook!'

'Of mijn das?'

'Dat is heel aardig van jullie,' roept Susan. 'Maar ik denk dat Daan het liefst zijn eigen handschoenen aanheeft.'

Li Mei staat helemaal vooraan. Ze zit bij Daan in groep 3. 'Van juf Wendy had het wel gemogen,' fluistert ze.

'Wat zeg je?' vraagt Glenn.

'Bij juf Wendy mochten we wel altijd naar binnen als we iets vergeten waren.'

'Dat is het!' roept Susan. 'We gaan over het kleuterplein. Juf Wendy laat ons vast wel binnen!'

In een lange rij loopt de hele groep naar de andere kant van het schoolplein. Toevallig zijn de kleuters ook aan het buitenspelen. Juf Wendy staat bij de ingang en knoopt net een sjaal om bij een klein meisje met een roze puntmuts op haar hoofd.

Ze draait zich verbaasd om als ze de lange optocht aan ziet komen.

'Zo jongens, komen jullie weer even bij je oude juf spelen?' Ze geeft Daan een knipoog.

'Nee hoor,' lacht Glenn. 'Daan heeft een probleem. Hij vriest bijna dood, want zijn handschoenen liggen nog binnen. En Frie... eh... juf Riet wil ons niet binnenlaten.'

'Het mag ook niet van meester Fred,' zegt Samira. 'Alleen als we zwaargewond zijn.'

'Maar dat is een grapje hoor,' zegt Daan vlug.

'Ja, die grap ken ik van jullie meester,' zegt juf Wendy. 'Die maakt hij al heel erg lang.'

Ze legt een hand op de schouder van Daan. 'Maar dan heb je dus geen probleem. Dan kan je nu gewoon naar binnen.'

Alle kinderen kijken juf Wendy verbaasd aan. Ze snappen er niks van.

'Glenn zegt dat Daan al bijna doodgevroren is,' lacht juf Wendy. 'Nou, dat noem ik toch wel zwaargewond! Dan mag je dus wel naar binnen van meester Fred.'

De kinderen op het plein beginnen te juichen. De kleuters juichen gewoon mee.

Samira trekt Daan aan zijn jas. 'Kom op, we gaan naar binnen.'

Maar Daan blijft staan. Hij weet niet of het wel zo'n goed plan is.

'Wat is er, Daan?' vraagt juf Wendy. 'Denk je dat meester Fred je terugstuurt?'

Daan schudt zijn hoofd. Dat zal hij niet doen. Meester Fred zal het juist een goede grap vinden. Maar...

'O, ik snap het al. Juf Riet?'

Daan knikt.

'Nou, dan ga ik wel even mee.' Juf Wendy kijkt naar de kleuters. 'Gaan jullie ook mee?'

'Ja!' roepen ze allemaal.

'Kom, Glenn,' zegt juf Wendy, 'wij tillen Daan tussen ons in. Want hij moet wel zwaargewond lijken.'

Juf Wendy pakt Daan onder zijn armen en Glenn tilt hem op bij zijn benen. 'Je moet je helemaal stijf houden,' zegt hij.

Als een bevroren plank wordt Daan door de gang gedragen. Alle kinderen lopen er in een vrolijke optocht achteraan.

Meester Fred heeft de herrie al gehoord. Hij komt de teamkamer uit en loopt hun tegemoet. Juf Riet komt er direct achteraan. Ze kijkt alweer boos.

Juf Wendy en Glenn leggen Daan voorzichtig op de grond. 'Blijf stil liggen,' fluistert Glenn.

'Meester Fred, deze jongen moet echt even naar binnen,' zegt juf Wendy. 'Hij heeft dringend zijn handschoenen nodig.'

Meester Fred knielt. Daan ziet aan de ogen van meester Fred dat hij de grap al doorheeft.

'Dat zal niet gaan, juf Wendy. Deze jongen mag niet zomaar naar binnen.' Meester Fred voelt even aan Daans voorhoofd. 'Behalve...!'

Daan komt een beetje omhoog en roept: 'Ik ben zwaargewond!'

'O, gelukkig,' lacht meester Fred. 'Dan mag het wel.'

Er stijgt een enorm gejuich op in de gang. Juf Riet loopt hoofdschuddend terug naar de teamkamer. Ze zegt niets, maar iedereen kan zien dat ze het belachelijk vindt.

Daan loopt vlug naar de klas om zijn handschoenen te pakken.

Als hij terugkomt, zegt meester Fred: 'Als je het zo koud hebt, Daan, mag je voor één keer ook wel binnenblijven.'

Daan lacht en trekt zijn handschoenen aan. Ze zijn heerlijk warm. 'Nee hoor, buiten spelen is veel leuker!'

De klas ruikt verrukkelijk!

Daan zit in de kring en speelt met een klein rood zeepje. Daan niet alleen, iedereen heeft een eigen stukje zeep in z'n handen. Volgens meester Fred is het vandaag zeep-feest-dag.

De kinderen van groep 3 leren het woordje *zeep* en daarom mocht iedereen een zeepje meebrengen. Sommige kinderen hebben een stukje zeep uit de badkamer meegenomen, andere hebben nieuwe zeep gekocht. Roosmarie heeft heel veel kleine pakjes bij zich. Haar vader en moeder zijn een week naar een hotel in Parijs geweest. Daar kregen ze iedere dag een nieuw klein zeepje.

'Vandaag beginnen we niet met praten in de kring,' zegt meester Fred, 'maar met handen wassen.'

Sjaak, die naast Daan zit, wappert met zijn handen. 'Die van mij zijn al schoon, mees!'

'Goed zo, maar ruiken ze ook lekker?'

Daan heeft het lekkere geurtje allang geroken. 'Ja hoor,' roept hij. 'Sjaak ruikt helemaal naar aardbeien!'

Hij rent zelf wel snel naar de kraan. Hij heeft leuke zeep. Het lijkt op een roosje en het ruikt ook een beetje naar rozen.

Als alle kinderen weer zitten, mogen ze hun stukje zeep op het tafeltje leggen dat in de kring staat. Het ruikt heerlijk in de klas.

'Welkom in onze zeepfabriek,' zegt meester Fred met een deftige stem. 'Vandaag zoeken wij een nieuwe directeur voor onze fabriek, met een hele goede neus.'

Sommige kinderen steken direct hun vinger op.

Daan voelt even aan zijn neus. Meester Fred zoekt vast iemand met een grote neus en Daans neus is best klein.

'Bart, jij hebt een prachtige neus, maar kan hij ook goed ruiken?'

Bart gaat vlug staan. 'Ik heb een superspeurneus, mees. Leg de blinddoek maar vast klaar.' Bart snapt al wat meester Fred wil, hij kent het spelletje natuurlijk nog van vorig jaar.

'Steek allemaal jullie handen maar naar voren,' zegt meester Fred. 'Dan zal Bart proberen te raden welk zeepje erbij hoort.'

Bart kiest Samira. 'Snif, snif!' Als een echte speurhond snuffelt hij aan haar beide handen. 'Mm, ik ruik een hele tuin vol bloemen.' Samira lacht, maar ze zegt niets.

Dan moet Bart bij het kringtafeltje gaan staan. Meester Fred helpt hem om de blinddoek voor te doen en hij wijst vier kinderen aan die hun stukje zeep mogen pakken. Een voor een houden ze het even onder de neus van Bart. Samira is als tweede aan de beurt. Bart zegt nog niets, hij wil eerst alle vier de stukjes goed ruiken. Dan zegt hij: 'Ze ruiken eigenlijk allemaal naar bloemen, maar volgens mij was Samira de tweede.'

Alle kinderen in de kring klappen in hun handen.

'Gefeliciteerd, Bart,' zegt meester Fred. 'Jij bent de nieuwe directeur.'

Daan wil nu ook wel. 'Mag ik ook directeur worden, meester Fred? Ik heb ook een goede neus.'

Meester Fred kijkt even naar Bart. 'Twee directeuren?'

Bart knikt. 'Geen probleem.'

Alle kinderen steken hun schone handen weer naar voren.

Daan kijkt de kring rond. Sophie had een heel groot stuk zeep. Dat kan hij vast wel raden.

Plotseling klinkt er een kort piepend geluidje onder de stoel van Sophie. Het lijkt net alsof er een ballon leegloopt. Sophie krijgt een vuurrood hoofd. Daan heeft nog niets door, maar Roosmarie knijpt haar neus dicht. 'Getsie, dit ruikt helemaal niet lekker!'

Sjaak trekt ook een vies gezicht. 'Nee, dit is scheetzeep!'

'Ho maar, Sjaak,' zegt meester Fred. 'Sophie kan er niks aan doen. Dit kan iedereen gebeuren.'

Snuf snuf, nu ruikt Daan het ook.

'Weet je al wie je kiest?' vraagt meester Fred.

'Kies mij!' roept Sjaak.

Daan twijfelt. De aardbeiengeur van Sjaak is niet zo moeilijk. Daar kan hij zo directeur mee worden. Maar eigenlijk wilde hij Sophie kiezen. Sophie kijkt naar de grond, ze heeft haar handen naar beneden gedaan.

'Ik kies Sophie,' zegt Daan.

'Dat is makkelijk,' zucht Sjaak. 'Stinkzeep!'

Daan zegt niks. De handen van Sophie ruiken heerlijk.

'Lekker hè?' fluistert Sophie.

Daan knikt en pakt de blinddoek, dit lukt hem wel.

Maar toch valt het tegen. In het donker lijken de vier geuren onder zijn neus heel veel op elkaar. Hij kiest nummer vier.

Helaas, dat is het zeepje van Bart.

'Mis, Daan!' roept Sjaak. 'Toch niet zo'n goede speurneus.'

Na het spel gaat groep 3 het woordje *zeep* leren schrijven. Niet met een potlood of pen, maar... met zeep! Op een wit tekenvel moeten ze met grote letters *zeep* schrijven. Daan vindt het wel leuk om te doen, maar hij de ziet de letters niet op het witte papier.

'Eigenlijk zijn het geheime letters,' zegt meester Fred. 'Je kunt ze pas lezen met de grote verftruc.' Meester Fred heeft op de knutseltafel kwasten en verschillende kleuren ecoline klaargezet. 'Na de pauze mogen jullie toveren. Als je het hele vel vol kleurt, komen de zeepletters vanzelf tevoorschijn.'

Daan kijkt meester Fred verbaasd aan. 'Bij iedereen?'

'Ja hoor.' Meester Fred glimlacht. 'Ik kan straks heel goed zien hoe mooi jij geschreven hebt, want ieder stipje van de zeep komt weer tevoorschijn. Als je wilt, mag je wel een paar verschillende maken.'

Na het buitenspelen zit Daan naast Sophie en Li Mei aan de knutseltafel. 'Ik ben benieuwd,' zegt hij. Bij de eerste streek van zijn kwast ziet hij al dat het echt werkt. Terwijl hij het hele papier oranje kleurt, komen de letters een voor een tevoorschijn. Al na een paar tellen staat er met grote witte letters *zeep* op een oranje geschilderd vel papier.

Daan pakt snel zijn volgende vel. Nu verft hij met blauwe ecoline. Het voelt echt als toveren. Daar komt de *z* tevoorschijn en dan de *ee* en daarna de...! Hé, wat is dat? Waar is zijn *p* gebleven...? Daan kleurt alles blauw, zelfs in de hoekjes. Eén klein plekje blijft wit, maar de p komt niet tevoorschijn.

'Wie heeft mijn p gepikt?'

De hele klas kijkt hem aan.

'Wat is er gestolen?' vraagt Bart lachend.

'Mijn p!' roept Daan. 'Iemand heeft mijn p gepikt, nu staat er alleen nog maar zee!'

Meester Fred komt naast hem staan. 'Misschien ben je gewoon vergeten hem op te schrijven,' zegt hij.

Daan schudt zijn hoofd. 'Echt niet. Hij was juist extra goed gelukt.'

Meester Fred bekijkt het papier nog eens goed. 'Wacht eens even, iemand heeft hem weggekrast. Kijk maar.'

Daan pakt de tekening. Ja, nu ziet hij het ook. De p is met zeep weggekrast. Daardoor bleef dat kleine plekje natuurlijk wit.

Meester Fred draait zich om naar de klas. 'Heeft iemand Daans p weggekrast?'

Alle kinderen schudden hun hoofd.

'Ik was het niet, hoor!' roept Roosmarie. 'Ik hou niet eens van krassen.'

'Ik ook niet,' zegt Sjaak. 'Zonde van mijn lekkere zeep.'

Plotseling krijgt Daan een idee. Hij houdt de tekening vlak bij zijn neus. Snif snif!

Meester Fred begrijpt direct wat Daan wil. 'Goed zo, Daan, gebruik je speurneus. Wat ruik je?'

'Ik ruik... ik ruik... aardbeien!' roept Daan. 'Ik ruik aardbeien!'

Iedereen draait zich om naar Sjaak. Hij kijkt geschrokken en

zeep
zeel
zeep
zeep
zeep
zeep

stottert: ‘Ik? Eh... ik heb... eh... het niet... eh...!’

‘Sjaak, niet liegen,’ zegt meester Fred rustig. ‘Je bent er gloeiend bij. Daan heeft jouw aardbeienzeep geroken.’

Sjaak wordt helemaal rood. Zo rood als een aardbei. ‘Eh... sorry.’

‘Nou, dat is tenminste iets,’ zucht meester Fred. ‘Maar daarmee heb je het nog niet goedgemaakt met Daan.’

‘Ik vind het niet zo erg, hoor,’ zegt Daan. ‘Ik ben nu de enige met twee verschillende woorden.’

Sjaak lacht alweer. ‘Leuk, hè? Heb ik bedacht!’

‘Heel leuk,’ zucht meester Fred. ‘Daan mag wel blij zijn met zo’n leuke jongen in de klas.’

Daan grinnikt en kijkt naar zijn handen. ‘Mag ik even mijn handen wassen, meester? Ze zijn helemaal blauw.’

Sjaak springt op. ‘Je mag mijn zeep wel gebruiken, hoor. Hij wast supergoed!’

Even later ruiken beide jongens heerlijk naar aardbeien.

Meester Fred is ...!

'Doorwerken allemaal. Anders is er vandaag geen pauze!'

Daan buigt diep over zijn rekenboek. Hij houdt van rekenen. Maar vandaag moet hij toch steeds even om zich heen kijken. Dat gaat vanzelf.

Naast hem gaat Li Mei zachtjes staan en ze loopt naar de deur.

'Wat ga jij nou weer doen?' roept meester Fred.

Li Mei staat direct stil. Ze kijkt meester Fred geschrokken aan.

'Zijn we doof vandaag?' Meester Fred lijkt wel boos. 'Dan zal ik iets harder praten. WAT – GAAN – WE – DOEN?'

Mi Lei staat met haar benen gekruist bij de deur. 'Ik moet echt heel nodig, meester!' fluistert ze.

'O...' De meester lijkt even te twijfelen. 'Goed, ga maar. Maar wel opschieten!' Hij draait zich weer om naar de klas. Meester Fred heeft een humeurig gezicht en zo praat hij ook. 'Li Mei was de laatste. Het komende halfuur gaat er niemand meer naar de wc. Je houdt het maar op tot de pauze!'

'Ja, áls we een pauze krijgen,' fluistert Samira, die tegenover Daan zit.

Meester Fred heeft iets gehoord. 'Als jullie nog iets willen bespreken, kom je maar even na schooltijd!'

'Meester, meester! Nog één vraagje!' roept Bart van achter uit de klas.

Dat zou Daan nooit durven.

'Ik wil niet zeuren hoor, maar bent u toevallig vanmorgen met uw verkeerde been uit bed gestapt?'

Hier en daar klinkt zacht gegrinnik.

Meester Fred doet een paar stappen naar voren. Hij staat nu vlak naast de tafel van Daan.

'Nou, je zeurt wel!' Meester Fred prikt met zijn vinger in de richting van Bart. 'Je zeurt vreselijk! Ik heb er schoon genoeg van. Iedere keer als ik denk: nu hebben we het wel gehad, dan komt meneer Bart nog even met een vraag. Met zo'n echte zeurvraag!'

Het gezicht van meester Fred wordt een beetje rood. Daan heeft hem nog nooit echt boos gezien.

'Nee, ík ben niet met mijn verkeerde been uit bed gestapt, maar jullie!' Meester Fred draait zich met een ruk om en loopt met grote stappen naar zijn bureau. 'En nu: aan het werk!'

Als een machine buigt iedereen tegelijk zijn hoofd over de boeken.

Ik had vandaag juist heel veel zin, denkt Daan. Het ligt echt aan meester Fred. Maar hij zegt niks. Hij durft niet eens op te kijken. Ook niet als Li Mei weer binnenkomt.

Plop! Er valt een propje papier op zijn boek. Daan gluurt tussen zijn haren door naar Samira. Haar ogen glimmen. Ze knikt.

Ze schrijven wel vaker briefjes naar elkaar. Dat is hartstikke leuk, zeker omdat Daan nu al veel meer woorden kent. Maar vandaag is het anders. Hij legt een hand over het propje en gluurt naar meester Fred. Die zit rechtop achter zijn bureau en houdt de klas goed in de gaten.

'Daan!' De fluisterstem van Samira klinkt heel zacht. 'Lees dan!'
Hij haalt diep adem en peutert het propje langzaam open. Daan moet zijn best doen om niet in de lach te schieten. Samira heeft een lesje gemaakt zoals uit het werkboek van groep 3.

☐ meester fred is lief
☐ meester fred is ziek
☐ meester fred is stom
☐ meester fred is gek

Ze heeft er een potloodje bij getekend. 'Kleur het goede antwoord', betekent dat.

Daan kijkt naar Samira. Ze maakt een schrijfbeweging met haar hand. Maar Daan doet niks. Hij durft niet. Het papiertje ligt nog steeds open voor hem.

Hij voelt een schop onder de tafel. De lippen van Samira bewegen boos. 'Kleu-ren!' zeggen ze.

Voorzichtig pakt Daan een rood potlood. Hij leest de zinnen nog eens. Op een gewone dag zou hij het wel weten. Meester Fred is hartstikke lief. Maar vandaag? Daan twijfelt. Misschien heeft de meester wel griep. Maar dan hoeft hij toch nog niet zo vervelend te doen? Eigenlijk vindt hij meester Fred vandaag maar gek. Maar dat durft hij echt niet te kleuren.

Li Mei raakt zijn arm heel even aan. Ze heeft het briefje ook gelezen. 'Gek,' fluistert ze.

Verbaasd kijkt Daan even opzij. Dat had hij niet verwacht van Li Mei. Maar ze meent het echt. Nu durft Daan het ook wel. Hij kleurt het hokje 'meester fred is gek'. Even kijkt hij nog naar meester Fred, maar die is aan het nakijken. Dan schiet hij het papiertje met zijn wijsvinger naar Samira terug. Dat heeft hij al vaker gedaan. Het propje rolt over de tafel en blijft precies tegen haar buik stil liggen.

'DAAN!' De stem van meester Fred snijdt als een mes door het lokaal. 'Kom hier!'

Daan voelt de woorden als een steek in zijn buik.

'Met dat briefje!'

Hij staat langzaam op en schuifelt met het briefje in zijn hand geklemd naar voren.

Meester Fred leest. Hij zegt niets, maar zijn ogen staan heel boos.

Daans benen trillen zo erg dat hij zich vast moet houden aan het bureau.

De meester scheurt het briefje doormidden. En nog eens. En nog eens. 'Dit had ik van jou nooit verwacht, Daan!'

Daan voelt zijn hoofd bonzen. De tranen prikken in zijn ogen.

'Ga er maar uit.' De stem van meester Fred klinkt teleurgesteld. 'Ik wil jou nu even niet meer zien!'

Nog geen minuut nadat Daan de deur achter zich dichtgetrokken heeft, komt Samira ook naar buiten. Dat had hij wel verwacht. Ze heeft natuurlijk direct bekend dat zij het briefje gemaakt had. Ze zeggen niets tegen elkaar. Daan heeft een misselijk gevoel in zijn buik. Hij leunt tegen de kapstok.

'Zo jongens, ruzie met meester Fred?' Willem de conciërge loopt met een dienblad koffie door de gang.

Daan knikt. 'Hij is heel erg boos op ons.'

'O, dat ligt niet aan jullie, hoor. Hij liep vanmorgen tegen mij ook al te zeuren,' zegt Willem. 'Hou eens vast, dan schenk ik een lekker kopje koffie voor hem in. Dat helpt altijd.'

Samira pakt het dienblad aan. 'Heb je ook koekjes?'

'Da's een goed idee, meisje,' lacht Willem. 'Jullie meester is een echte zoetekauw. Wacht even, ik ben zo terug!'

Plotseling krijgt Daan nog een beter idee. Hij voelt in zijn zak en haalt er een klein potloodje uit. 'Heb jij een papiertje, Samira?'

Ze kijkt hem verbaasd aan. 'Nee, eh... Ja, misschien zit in die prullenbak wel iets. Maar wat wil je dan doen?'

'Ik maak een briefje voor meester Fred.'

'Weer een briefje?' zegt Samira. 'Ik weet niet of dat wel zo'n goed plan is.'

Daan zegt niets. Het is wel een goed plan, dat weet hij zeker. Boven het briefje schrijft hij: 'lieve meester Fred'.

'Samira? Hoe schrijf je sorry?' vraagt Daan.

De ogen van Samira beginnen plotseling te glimmen. 'O, nu snap ik het. Een sorry-briefje. Dat is goed bedacht, Daan.'

'Weet ik. Maar hoe schrijf je het?'

'Met een lange y zonder puntjes!'

Als Willem terugkomt met een chocoladekoekje, heeft Daan het papiertje netjes opgevouwen. 'Dit hoort ook bij de koffie!'

Daan houdt de deur voor Willem open, maar hij durft niet naar binnen te kijken.

Als de conciërge weer naar buiten stapt fluistert die alleen maar: 'Even afwachten!' Daarna loopt hij verder naar het volgende lokaal.

Daan en Samira staan vlak naast de deur te wachten. Het blijft stil. Ook uit het lokaal komt geen enkel geluid.

'Zou hij het briefje al gelezen hebben?' fluistert Daan.

'Allang,' antwoordt Samira. 'Heb je onze namen er wel onder geschreven?'

Net als Daan wil knikken gaat de deur met een zwaai open. Meester Fred staat met het briefje in zijn handen. Hij zegt niets maar met zijn lachende ogen wenkt hij Daan en Samira weer naar binnen.

'Ook sorry van mij, jongens,' zegt meester Fred als iedereen weer op zijn plaats zit. 'Ik was wel erg chagrijnig, hè?'

'Nou en of,' zegt Samira. 'Maar is het nu weer over?'

'Zeker weten,' zegt meester Fred. 'Dankzij dit briefje!'

'Misschien toch een beetje met het verkeerde been uit bed gestapt?' grinnikt Bart.

Daan schrikt. Hij durft de meester niet aan te kijken.

Maar die kan er gelukkig nu wel om lachen. 'Nee hoor, met geen enkel been. Mijn vrouw heeft mij er vanmorgen al heel vroeg uitgerold. Omdat ik zo lag te snurken!'

Vallen en opstaan

'Hebben jullie het allemaal goed gesnapt?' Meester Fred staat zo recht mogelijk tegen de muur van de gymzaal aan. Toch kijken alle kinderen naar beneden terwijl hij praat. Hij staat namelijk op zijn handen. 'Dus met je goede been opzwaaien en dan je armen helemaal strekken!'

Daan knikt. Zoals meester Fred de handstand voordoet, lijkt het gemakkelijk. Maar dat is het vast niet.

'Wat moet je doen als je valt?' vraagt Li Mei met een zacht stemmetje.

'Gewoon weer opnieuw proberen,' zegt meester Fred, die nog steeds omgekeerd tegen de muur staat. 'Dat noem je nou leren door vallen en opstaan.'

Daan ziet dat het hoofd van meester Fred steeds roder wordt. 'Is zo'n handstand wel goed voor je hoofd?' vraagt hij.

'Ja hoor, dan komt er extra bloed in je hersens,' puft de meester. 'Daar word je nog slimmer van.'

'Pas maar op, mees!' roept Bart. 'Straks ontploft u nog!'

Meester Fred zet zijn benen vlug weer op de grond. Alle kinderen klappen in hun handen, dat doen ze altijd als iemand iets heeft voorgedaan. Daan klapt extra hard, omdat het zo fijn galmt in de gymzaal. Maar natuurlijk ook omdat meester Fred zo lang op zijn handen kon blijven staan.

'Oké, jullie mogen groepjes van twee maken,' zegt meester

Fred. 'Zoek maar een plek bij de muur, we gaan tien minuten oefenen.'

Daan wil naar Samira toe lopen, maar zij rent al met Roosmarie naar de hoek van de zaal. Logisch, zij zijn hartstikke goed. Ze kunnen zelfs op hun handen lopen.

Daan zoekt wie er nog vrij is. Li Mei kijkt hem aan. 'Wij samen?' vragen haar ogen.

'Hé, Daan!' brult Sjaak door de zaal. 'Jij en ik?'

Daan twijfelt. Hij wil liever met Li Mei, maar dat durft hij niet tegen Sjaak te zeggen.

Meester Fred heeft het gezien. 'Jullie mogen wel met z'n drieën. Dan kun je elkaar goed helpen.'

'Ik ga wel eerst,' zegt Sjaak als ze bij de muur staan.

Dat vindt Daan helemaal niet erg. 'Moet ik helpen?'

'Nee, natuurlijk niet!' roept Sjaak. 'Ik kan het zelfs met een aanloop, kijk maar!'

Hij doet een paar stappen achteruit en rent dan naar de muur. Het wordt geen handstand, maar meer een handduik. Sjaak klapt tegen de muur aan en valt schreeuwend op de grond. 'Mijn been! Mijn been! Au, au! Mijn been! Ik kan niet meer lopen!'

Meester Fred komt er vlug bij en knielt neer bij Sjaak. 'Kun je nog op het been staan?' vraagt hij bezorgd.

'Nee! Au! Au! Het is gebroken!'

Dan ziet Daan dat de knie van Sjaak flink bloedt. 'Hij viel keihard tegen de muur, meester.'

Bart komt er ook bij staan. 'Ziekenhuis, mees?' vraagt hij.

Sjaak stopt direct met huilen.

'Eerst maar even de waterkraan.' Meester Fred tilt Sjaak op. 'Jullie mogen nog wel even doorgaan met de handstand. Maar wel voorzichtig, graag.'

Als de meester in de kleedkamer verdwijnt, horen ze Sjaak weer roepen. 'Au, au mijn been!'

Li Mei kijkt naar Daan. 'Durf jij nog?'

'Een beetje,' zegt Daan.

Li Mei grinnikt. 'Nou, doe het dan maar een beetje. Ik kijk wel of het goed gaat.'

Daan zet zijn handen op de grond en zwaait voorzichtig één been omhoog.

'Hoger!' roept Li Mei.

'Dat gaat niet,' zegt Daan. 'Ik wil het wel, maar mijn been doet het niet. Ik doe vast iets fout.'

'Wacht even,' zegt Li Mei. 'Ik ga Samira wel vragen of ze wil helpen.'

Daan staat alleen bij de muur en knijpt in zijn arm. Hij weet niet eens of zijn armen hem wel kunnen dragen.

Hij draait zich om en zet één been tegen de muur terwijl hij op zijn handen steunt. Wacht eens even, zo kan het ook. Voorzichtig loopt Daan met zijn tenen tegen de muur omhoog. Als zijn handen vlak bij de muur op de grond steunen, staat hij helemaal recht. Hij kan het!

Dan ziet hij Samira en Li Mei aankomen. Ze huppelen op de kop.

'Hé Daan, fantastisch,' juicht Li Mei. 'Je staat op je handen.'

Daan wordt helemaal warm. Zijn handen beginnen een beetje te trillen.

Samira klapt in haar handen. 'Wat leuk,' zegt ze, 'dat is de handstand achterstevoren. Wil je die ook aan mij leren?'

Daan probeert met zijn hoofd te knikken, maar dat is heel lastig als je op je kop staat.

Heel langzaam loopt hij op zijn handen naar voren en schuifelt langs de muur weer naar beneden.

Roosmarie komt er ook bij zodat Daan het aan drie kinderen tegelijk kan leren. En na een paar keer oefenen kunnen ze met z'n vieren tegelijk tegen de muur staan. Op z'n kop!

Als meester Fred terugkomt is Sjaak weer vrolijk. Hij heeft een joekel van een pleister op zijn knie. 'Ik kan het, jongens!' roept hij. 'Ik kan op mijn handen staan.'

'Jullie mogen allemaal stoppen,' zegt meester Fred. 'Kom maar in het midden van de zaal zitten. Wie van jullie kan er al op z'n handen staan?'

Sjaak springt omhoog. 'Ik, meester! Mag ik het laten zien?'

Meester Fred lacht. 'Probeer maar.'

'Ik kan het zonder muur.' Sjaak zet zijn handen op de grond als een kikker en stapt dan met zijn schoenen voorzichtig op zijn vingers. 'Kijk dan, ik sta op mijn handen. Dat heb ik van meester Fred geleerd.'

De kinderen lachen en klappen in hun handen. Daan klapt vooral omdat hij blij is dat Sjaak niet naar het ziekenhuis hoeft.

Mehmet krijgt ook een groot applaus als hij een mooie handstand tegen de muur gemaakt heeft.

Dan roept Li Mei: 'Daan heeft ons een nieuwe handstand geleerd.'

'O ja?' vraagt meester Fred. 'Nou, die wil ik dan wel eens zien van jou, Daan!'

Daan gaat langzaam staan. Zijn knieën bibberen een beetje. Hij weet niet of het nog wel lukt als iedereen kijkt.

Samira gaat ook staan. 'Mogen we met z'n vieren tegelijk?'

'Ja, hoor,' zegt meester Fred. 'Als Daan het ook goedvindt?'

Natuurlijk vindt Daan het goed. Nu lukt het vast.

Even later staan ze alle vier naast elkaar. Daan staat heel recht, hij kan de muur bijna met zijn neus aanraken.

Er klinkt een keihard applaus in de gymzaal. Heel lang. Maar Daan kan het niet langer houden en hij stort als een toren in elkaar.

Iedereen schrikt, het wordt helemaal stil in de gymzaal. Daan schrikt zelf ook, maar hij voelt nergens pijn. Dan staat hij snel op en roept vrolijk: 'Niks aan de hand.'

De kinderen klappen nu nog harder en meester Fred steekt zijn duim omhoog. 'Zie je wel, je leert door vallen en opstaan.'

Sjaak wijst op zijn pleister. 'En een kleine ontploffing!'

Een lentefeest

Daan hangt een beetje scheef op zijn stoel. Hij steunt met zijn hoofd op zijn arm en tuurt naar buiten. Vandaag is de lente begonnen, maar het regent. Het regent heel erg hard en het regent al heel erg lang. Het plein staat vol met waterplassen. Gisteren regende het ook al en eergisteren ook. Ze hebben deze hele week nog niet één keer buiten kunnen spelen. Meester Fred vindt dat ze niet zo moeten zeuren. Hij zegt dat de boeren wel blij zijn met de regen, dan groeit het gras lekker snel.

Maar de boeren houden vast niet van buiten spelen, denkt Daan. En trouwens, toen Samira vroeg of ze dan misschien in de schooltuintjes mochten werken, vond meester Fred dat toch niet zo'n goed idee.

'Nog tien minuten, jongens...!' Daan schrikt. Hij kijkt naar zijn verhaalschrift. De bladzijde is nog leeg. Er staat alleen maar een titel en die heeft meester Fred bedacht: *De hemel huilt*. Daan vindt het wel een mooie titel en in zijn hoofd zit ook wel een leuk verhaal, maar...

'Lukt het niet?'

Daan schiet omhoog. Hij had meester Fred helemaal niet aan horen komen.

'Zal ik je helpen met een ideetje?' vraagt hij.

Daan zucht. 'Ik heb al een verhaal bedacht, maar... eh... het is een beetje lang en er zitten hele moeilijke woorden in.'

Meester Fred kijkt hem aan. Straks zegt hij natuurlijk dat Daan het maar in de pauze moet opschrijven. Want door de regen kunnen ze toch niet naar buiten.

Maar meester Fred heeft een veel beter idee. 'Weet je wat?' zegt hij. 'Schrijf maar een paar belangrijke woorden op, zodat je het verhaal niet vergeet. En dan mag je het verhaal straks in de kring aan ons vertellen.'

Dat wil Daan wel. Hij schrijft alvast het woordje *zon* op. Die speelt de hoofdrol in zijn verhaal.

Alle kinderen zitten in de kring. Daan heeft zijn schrift op schoot. Hij vertelt dat de zon en de maan ruzie hadden. Want de zon noemde de maan voor de grap een koude banaan. En toen zei de maan: jij bent een hete sinaasappel. De zon was toen boos weggelopen. Hij verstopte zich achter een donkere zwarte wolk en iedereen was verdrietig. De wolken ook en ze begonnen vreselijk te huilen.

Daan stopt even met vertellen. Vinden ze het wel een leuk verhaal? Het is misschien niet spannend genoeg. Maar meester Fred steekt zijn duim omhoog en Li Mei zegt: 'Ga nou verder!'

Daan kijkt vlug in zijn schrift, daar staat *spijt*! O ja, dan roept de maan heel hard dat het hem spijt. Maar de zon blijft verstopt. Dan roept de maan ook nog dat de zon eigenlijk een gouden bal is. Dat vinden de wolken zo leuk dat ze stoppen met huilen. Alle wolken gaan dansen.

'Dan komt de zon toch wel terug, hè?' zegt Li Mei.

'Ja,' zegt Daan, 'want de zon houdt ook van dansen. Hij gaat heel hard schijnen. En ze leefden nog lang en gelukkig.'

De klas begint te klappen.

'Wat een prachtig verhaal, Daan,' zegt meester Fred.

'Heb je dat helemaal zelf bedacht?' vraagt Samira.

Daan knikt trots. 'Alleen dat van die dans, dat deden de indianen. Dat heeft mijn vader verteld.'

'Nee hoor,' roept Sjaak, 'dat klopt niet. De indianen gingen juist dansen om het te laten regenen. Omdat het zo droog was.' Hij begint gek te springen en hij maakt met één hand voor zijn mond indianengeluiden: 'Oewoewoewoewoe!'

'Bij mijn indianen gingen ze anders wel dansen voor de zon,' zegt Daan een beetje boos. 'Omdat het zo hard regende!'

'Dat kan best, hoor,' zegt Samira. 'Dan gingen jouw indianen vast andersom dansen.' Ze doet Sjaak na, maar springt nu achteruit.

'Ja, dat is leuk,' roept Li Mei. En ze begint mee te dansen. Even later is iedereen wild door de kring aan het springen en ze maken er grappige indianengeluiden bij.

'Ho, ho!' roept meester Fred. 'Als we toch gaan dansen tegen de regen, kunnen we het beter mooi gelijk doen. Dan helpt het vast beter. Zet allemaal je stoel maar even weg. Dan hebben we meer ruimte.'

Het wordt een echte indianendans, want ze bedenken er nog veel meer bij. Li Mei zegt dat ze ook een rondje op de plaats moeten draaien. En Mehmet bedenkt dat ze vier keer moeten klappen met de handen boven hun hoofd. Bart bedenkt de leukste beweging: drie keer keihard stampen met twee voeten tegelijk.

'Wordt het buiten al droog?' puft meester Fred.

Li Mei gaat weer op haar stoel zitten. 'Nee, natuurlijk niet,' zegt ze. 'Zoiets gebeurt alleen maar in een verhaal.'

Daan sjokt ook weer naar zijn stoel. Li Mei heeft gelijk.

'Ik denk dat het best kan lukken,' zegt Sjaak. 'Maar we doen het niet goed.'

De kinderen stoppen nu allemaal met dansen.

'Hoe bedoel je, Sjaak,' vraagt meester Fred, 'we hebben toch leuke bewegingen?'

'Ja, maar het werkt natuurlijk alleen als we buiten dansen.'

Het is heel even doodstil in de klas. Dan zegt Bart: 'Sjaak heeft gelijk, mees. We kunnen beter buiten gaan stampen.'

'Ja,' zegt Daan, 'en dat is ook veel leuker.'

Nu begint iedereen door elkaar te roepen. Sommige kinderen staan al bij de deur.

Maar meester Fred schudt zijn hoofd. 'Dit kan echt niet, jongens, jullie worden doodziek in die regen. Dan krijg ik ruzie met jullie ouders.'

'Nee hoor,' roept Bart, 'mijn vader zegt dat er niemand doodgaat van een beetje water.'

'We gaan juist groeien,' lacht Daan. 'Net als het gras.'

'Ik heb hele goede laarzen, meester Fred!' roept Li Mei.

'Ik ook!'

'Ik heb...!'

Meester Fred steek zijn handen omhoog. 'Oké, oké, ik geef

me gewonnen. Alle jassen en laarzen aan. We gaan naar buiten voor de regen… eh ik bedoel de zonnedans.'

Juichend rent iedereen naar de gang.

Even later staat de hele klas van Daan te dansen en te springen om de grootste waterplas op het plein. Ze draaien rondjes, klappen in hun handen en stampen lekker hard in het water. Ze hebben heel veel lol samen, maar de regen blijft met grote druppels uit de lucht vallen. Het lijkt zelfs alsof het nog harder gaat regenen.

'Misschien dansen we met te weinig kinderen,' zegt meester Fred tegen Samira. 'Wil jij met Li Mei langs de andere klassen gaan? Vraag maar of ze zin hebben om ons te helpen met de zonnedans.'

Even later komen de kleuters al naar buiten rennen. Ze beginnen direct mee te dansen.

'Iedereen vond het een supergoed idee!' roept Samira.

'De kinderen van de bovenbouw ook wel,' zegt Li Mei. 'Maar ze konden niet naar buiten, want juf Riet moest er nog even over nadenken.'

'Als juf Riet erover na moet denken,' zegt Bart, 'dan komen ze vast niet.'

Ze dansen nu met een hele grote groep kinderen, maar de plas lijkt ook groter en groter te worden. Sommige kinderen zijn gestopt. Daan ook. Hij kijkt naar boven. De lucht is helemaal grijs. Waar zou die zon toch verstopt zitten?

Plotseling zwaait de voordeur open. Daar is de bovenbouw.

En wie loopt er met grote rode laarzen voorop? Juf Riet! Ze heeft een gele paraplu in haar handen die ze als een zon boven haar hoofd houdt.

Daan begint direct weer te dansen. Dit is leuk. De hele school speelt buiten in de stromende regen en iedereen is blij. Juf Riet stampt het hardst van iedereen, zij kan zelfs in de diepste plassen.

Daan kijkt weer even omhoog. De regen blijft stromen en de lucht is nog net zo gr...!

Hé, wat is dat? Daar ziet hij een heel klein blauw vlekje in de lucht en aan de rand begint het te glinsteren. Plotseling schiet er een straal licht tevoorschijn.

'De zon!' schreeuwt Daan. 'Daar is de zon!'

Het hele plein wordt stil. Iedereen kijkt naar boven.

Alleen juf Riet staat nog steeds te springen. 'Kom op, jongens!' roept ze. 'Even volhouden, want het regent nog steeds!'

Alle kinderen beginnen weer mee te dansen.

Daan springt naast Sjaak. 'Goed idee van jou, Sjaak,' zegt hij, 'om buiten te dansen.'

'Dat kwam door jouw verhaal, hoor,' zegt Sjaak. 'Jij hebt het bedacht!'

Daan slaat een arm om Sjaaks schouder en samen springen ze nog eens extra hard in een plas. Leuk zeg, die lente!

De klas van Daan gaat voor goud!

Daan staat bij het hek. Hij voelt even aan de steen in zijn broekzak. Ja, hij zit er nog. Het is niet zomaar een steen, het is een gelukssteen.

Voorzichtig haalt hij de platte steen tevoorschijn en laat hem van zijn ene hand in de andere glijden. Hij is zilverachtig met aan de ronde bovenkant een donkere stip. Daardoor lijkt hij een beetje op een vogel. Maar het mooist aan de steen is de rode vlek in het midden. Toen hij de steen vond, op een strand in Frankrijk, glinsterde de vlek in de zon, als een echte vlam. Het is een vuurvogel en hij brengt heel vaak geluk.

Nu ook weer. Daan is namelijk als eerste op het schoolplein, dat komt door de steen. Er zijn ook al een paar grote kinderen, maar dat telt natuurlijk niet. Hij is de eerste van de klas. Zonder zijn gelukssteen was dat vast niet gelukt.

Daan is zuinig op de steen, want als hij hem te veel gebruikt, raakt het geluk misschien op. Hij neemt hem eigenlijk nooit mee naar school, maar meester Fred heeft gevraagd of iedereen vandaag zijn geluksvoorwerp wil meebrengen. Vandaag hebben ze heel veel geluk nodig. Hij weet alleen nog niet waarom. Dat heeft meester Fred er niet bij verteld.

Samira komt aanrennen. ‘Heb je de gelukssteen bij je?’ hijgt ze.

‘Natuurlijk! Dat zie je toch?’ Daan wijst naar het schoolplein.

'Ik was de eerste. Van de hele klas!'

Samira grinnikt.

'En jij?' Daan begint als vanzelf te fluisteren. 'Mocht jij eh... het meenemen?'

Samira friemelt het bovenste knoopje van haar blouse los. Ze bukt een beetje naar voren. Om haar nek glimt een dun gouden kettinkje. 'Ik mag het niet aan iedereen laten zien, zegt oma. Dat brengt ongeluk.'

Daan knikt. Hij was er immers bij toen ze het kreeg van haar oma uit Suriname.

Samira kijkt even om zich heen en tilt dan het kettinkje een beetje omhoog. Er bungelt een kleine gouden munt aan. Het heet een amulet, dat vertelde de oma. In de amulet zit de kracht van alle overgrootouders, die kunnen je helpen als je in nood zit.

'Zou de meester in nood zitten?' vraagt Daan.

Samira maakt het bovenste knoopje weer zorgvuldig vast. 'Nee, joh! Ik denk dat we een belangrijke toets moeten maken.'

'Denk je echt?' vraagt Daan. Dat valt hem tegen.

'Maar het kan ook wel een wedstrijd of zo zijn!' zegt Samira vlug. 'Dat we iets kunnen winnen met de klas.'

'Ja, dat is veel leuker!' roept Daan. 'Misschien mogen we wel meedoen aan een tv-programma!'

'Met een hoofdprijs in de finale!' lacht Samira. 'En dan winnen we natuurlijk. Dat is dan een reisje naar... eh...?'

'Suriname!' juicht Daan. 'Een reis met de hele klas naar Suriname!'

Daan wrijft over zijn steen. Daar hebben ze inderdaad wel heel veel geluk bij nodig.

Maar het is helemaal geen leuke wedstrijd. En ook geen moeilijke toets!

'De inspecteur komt vandaag op bezoek,' vertelt meester Fred. 'Hij komt kijken of dit wel een goede school is.'

De kinderen in de klas reageren teleurgesteld, maar het lijkt net alsof de meester daar niets van merkt. 'Hij komt ook een uur in onze klas, want hij wil zien of ik jullie wel genoeg leer.'

'Lekkere geluksdag!' zucht Bart. 'Dan gaan we dus alleen maar rekenen en taal doen?'

Meester Fred geeft geen antwoord. Op zijn voorhoofd glimmen een paar zweetdruppeltjes. 'Jullie snappen wel dat de hulp van al jullie geluksvoorwerpen heel hard nodig is.'

Dat snapt Daan eigenlijk helemaal niet. Het is toch een hele leuke school? En meester Fred is de allerbeste meester van Nederland, Europa, de hele wereld en alle planeten bij elkaar! Daar heb je toch geen geluksteen bij nodig?

Meester Fred opent zijn tas. 'Dit is Mies, de geluksknuffel van mijn dochter!' Hij aait even over het kopje van een versleten poesje en stopt het dan weg in de la van zijn bureau. 'Ik denk dat de inspecteur zo wel zal komen. Beginnen jullie vandaag maar met rekenen.'

Bart slaakt een diepe zucht. 'Zie je wel!'

Daan legt de steen op de linkerhoek van zijn tafel, in de eerste zonnestralen.

Daan is maar wat blij dat hij de steen mee heeft genomen. Niet voor de inspecteur, want die heeft hij nog helemaal niet gezien. Maar de steen zorgde er wel voor dat hij zijn sommen in sneltreinvaart kon maken. Daarna had hij geen enkele fout in het moeilijke-woorden-dictee. En toen hij zojuist zijn trommel openmaakte had hij heerlijke aardbeien, terwijl hij gisteren nog een zuur appeltje meekreeg.

Als de pauze begint, stopt hij de steen weer in zijn zak.

'Wie doet er mee met de-meisjes-de-jongens?' roept Roosmarie.

Ja leuk, dat is zijn lievelingsspel! Bijna de hele klas doet mee. Eerst moeten de meisjes de jongens tikken.

Samira gaat natuurlijk direct achter Daan aan. Maar vandaag is hij supersnel! Hij vliegt over het plein. Om de kastanjeboom, over het houten bankje, langs de duikelrekken, onder de glijbaan door, dwars door de bosjes en weer terug over het plein. Samira geeft niet op. Ze blijft maar achter Daan aan rennen, ook als de bel al is gegaan. Maar ze krijgt hem niet te pakken.

Daan is als eerste terug in de klas en zit hijgend op zijn stoel.

'Wat goed dat je zo snel bent, Daan!' zegt meester Fred. 'Want we gaan heel veel taallesjes maken in ons werkboek.'

Plotseling klinkt er een keiharde gil op de gang. Daan schrikt en springt van zijn stoel. Hij herkent de hoge stem van Samira. Ze komt huilend de klas in rennen.

'Mijn amulet! Mijn amulet! Mijn geluksamulet is weg!' Ze rukt haar blouse in één keer over haar hoofd. Op haar donkere huid glimt het gouden kettinkje... zonder amulet!

De benen van Daan worden helemaal slap. Hij moet zich bijna vasthouden aan de tafel. De gouden amulet van haar oma is weg!

Mehmet staat vlak bij Samira. 'Zit hij niet tussen je kleren?'

Samira schudt wild met de blouse. Niks!

Daan voelt dat tranen in zijn ogen prikken. 'We moeten zoeken, meester!' roept hij.

Meester Fred staat met het taalboek in zijn hand bij zijn bureau. Hij kijkt naar buiten en daarna op zijn horloge. Hij bijt op zijn lip. Maar hij zegt niets.

'Meester!' Daan schreeuwt door de klas. 'We moeten nú naar buiten om te zoeken!'

Het is net alsof meester Fred daar wakker van schrikt. Hij trekt zijn bureaulade open en roept: 'Je hebt helemaal gelijk, Daan! Natuurlijk moeten we Samira helpen zoeken! Pak allemaal je geluksvoorwerp, want hiervoor hebben we echt alle geluk van de wereld nodig!'

Meester Fred grijpt het knuffelpoesje en rent als eerste naar buiten.

Daan klemt de gelukssteen in zijn rechterhand. Hij wil precies dezelfde route volgen van de pauze, toen Samira achter hem aan holde.

Stap voor stap speurt hij over het plein. Een rondje om de kastanjeboom. Niets! Voor de zekerheid nog maar een rondje. Weer niets! Dan naar het houten bankje. Niets! Onder de duikelrekken. Niets! Bij de glijbaan misschien? Weer niets! Dan moet hij onder de bosjes liggen. Daan kruipt op zijn knieën door de struiken. Niets! Niets! Scherpe stekels striemen over zijn wang. Maar hij voelt het niet. Hij blijft maar doorzoeken. Hij knijpt nog eens extra hard in zijn steen en dan... Daar glinstert iets. Daar aan dat takje!

'Samira! Samira!' Daan heeft nog nooit zo hard geroepen. 'Ik heb hem!' Hij springt wel een meter in de lucht.

Iedereen komt aanrennen. Samira is het eerst bij hem en ziet de amulet in zijn hand. Ze vliegt Daan zomaar om zijn nek en geeft hem twee dikke zoenen. Niemand vindt het gek. Iedereen is hartstikke blij. Zelfs meester Fred staat te springen.

Dan horen ze plotseling een onbekende stem. 'Pardon, bent u misschien een meester op deze school?'

Meester Fred draait zich lachend om. 'Ja, hoor!' Hij steekt zijn hand uit. 'Aangenaam. Meester Fred van Santen! Wat kan ik voor u doen?'

'Ik kan u helaas geen hand geven!' De man laat zijn vieze handen zien. Er zitten ook een paar zwarte vegen in zijn gezicht. 'Ik heb een afspraak op uw school. Maar ik heb een vreselijke pechdag! Eerst stond ik een uur in de file, daarna zat ik aan de verkeerde kant van de stad en toen moest ik ook nog een lekke band vervangen!'

Meester Fred kijkt geschrokken. Er komen weer een paar zweetdruppeltjes op zijn voorhoofd.

Li Mei doet een stapje naar voren. 'Bent u die meneer die bij ons in de klas komt kijken?'

'Eh, ja... eigenlijk wel. Maar dat zit er nu niet meer in.' Hij kijkt op zijn horloge. 'Mag ik alleen even mijn handen wassen?

Daarna moet ik direct door naar mijn volgende afspraak.'

'Meester Fred veegt over zijn voorhoofd. 'O, dat spijt mij zeer!' Maar Daan ziet aan zijn ogen dat hij daar niks van meent.

'Roosmarie? Wil jij deze meneer even een toilet wijzen?'

Als ze om de hoek verdwenen zijn, haalt de meester zijn knuffelpoesje tevoorschijn. Hij geeft een kus op het versleten kopje en kijkt dan naar de kinderen. 'Dank jullie wel, voor alle gelukshulp!'

'Ja! Ook namens mij!' Samira kijkt naar Daan.

De steen gloeit in zijn hand.

Fluiten als een vogel

Daan loopt naar school. Het is nog vroeg, maar op straat is het al hartstikke druk. Het lawaai komt overal vandaan.

Hij leunt tegen een boom en doet even zijn ogen dicht. Vrrr-roemmm! Het verkeer brult langs zijn oren. Daardoorheen klinkt klop klop kleng! Klop klop kleng! Dat moeten de stratenmakers op de hoek zijn. Het klinkt bijna als een liedje. Klop klop kleng! De enorme dreun van de heimachine past er heel goed bij. Wam! Wam! De machine staat bij de kerk, weet Daan. Die ramt grote palen in de grond. Hij hóórt het niet alleen, hij voelt het ook. De klappen trillen door zijn hele lijf.

Dit is leuk. Met je ogen dicht klinkt alles eigenlijk veel mooier.

In de verte loeit de sirene van een ambulance.

'Opschieten, er is vast iemand gewond!' mompelt Daan.

'Goedemorgen, dame!' roept een harde mannenstem verderop. Pjie-wiet!

Dat is natuurlijk de stratenmaker, die fluit altijd.

Tring tring!

Een fietser die haast heeft!

'Hé, slaapkop!'

Dat is... Samira? Daan doet vlug zijn ogen open en kijkt recht in het vrolijke gezicht van zijn beste vriendin.

'Sta jij nou bij die boom te slapen?' lacht ze.

Daan voelt zijn wangen rood worden.

'Ik... eh... Ik luister met mijn ogen dicht!'

'Je kunt beter je ogen openhouden!' roept Samira terwijl ze weer op de fiets springt. 'Dan zie je dat het al heel laat is!'

Daan schrikt. 'Hoe laat dan?'

Boing! Dat is de kerkklok.

Oei, half negen! Hij holt achter Samira aan naar school.

Iedereen is hard aan het werk. Daan is al bijna klaar met zijn sommen. Gelukkig maar, want het zijn moeilijke splitssommen.

'Fwieiet!'

Daan kijkt om zich heen. Wie fluit daar nou? Maar de anderen zitten allemaal met hun hoofd gebogen boven het werk.

Daan rekent weer verder. Nog één rijtje.

'Fwieiet!'

Meester Fred kijkt nu ook op. 'Wie hoor ik toch steeds?' vraagt hij.

Sjaak zwaait met zijn hand in de lucht. 'Ik, meester! Hoor maar!'

Hij tuit zijn lippen en blaast een schelle fluittoon door de klas.

'Goed, hè? Dat heb ik van opa geleerd!'

Direct proberen de andere kinderen het ook. Sommigen kunnen al een beetje fluiten. Maar de meesten blazen alleen maar lucht uit.

'Nee, zo moet het niet!' roept Sjaak. 'Kijk maar naar mij!'

Daan blaast wat hij kan, maar het klinkt nergens naar. Jammer, want hij wil het graag leren. Dat is handig als hij gaat fietsen. Papa fluit ook altijd op de fiets.

'Zal ik zeggen hoe het moet, meester?' roept Sjaak.

Meester Fred kijkt naar de klok. 'Goed idee! Als we klaar zijn met ons werk.'

Langzaam wordt het weer rustig in het lokaal. Daan kijkt in zijn schrift. O ja, dat laatste rijtje.

'Fwieiet!'

'Wat had ik nou gezegd, Sjaak? Stoppen met fluiten!'

Iedereen kijkt naar Sjaak. Maar hij schudt heftig zijn hoofd. 'Ik was het niet!'

Meester Fred blijft Sjaak aankijken. Je kunt wel zien dat hij hem niet gelooft.

'Fwieiet!'

'Het komt van buiten, meester!' roept Mehmet. 'Kijk, die vogel daar, in de boom!'

'Je hebt gelijk,' zegt meester Fred. 'Het is een merel, geloof ik.'

'Fwieiet!'

Bart lacht. 'Je wordt geroepen, Sjaak!'

Sjaak steekt zijn tong uit. Maar de meester is naar de deur gelopen. 'Misschien heeft Bart gelijk, Sjaak. Heb je zin om buiten fluitles te geven?'

Even later staan ze allemaal te blazen op het plein. Sjaak doet het steeds voor. Daan ziet dat Samira opeens fluitend over het plein huppelt.

Bij hem klinkt het nog helemaal nergens naar. Ffffft!

'Lukt het een beetje?' Meester Fred komt naast hem staan.

Daan probeert het nog een keer. Rustig lucht opzuigen. Je mond veranderen in een buisje en dan blazen. Ffffft! Weer niks. Hij blaast alleen maar lucht in de lucht.

In de verte blaft een hond.

'Hé, Daan! Hoor je dat? Jij kunt het hondenfluitje!' roept meester Fred. 'Dat kan bijna niemand!'

Daan kijkt naar de ogen van meester Fred. Houdt die hem voor de gek?

'Een hond kun je roepen met een hele hoge fluit. Zo hoog, dat mensen die toon niet kunnen horen,' zegt de meester. 'Probeer het nog eens, Daan.'

Zou het waar zijn? Zou hij echt een hond kunnen roepen?

De andere kinderen komen er ook bij staan.

Daan haalt diep adem en blaast. Ffffft!

Het blijft stil.

'Misschien is er wel geen hond in de buurt,' zegt Samira.

Maar dan hoort Daan plotseling luid gekef! Er komt een dame met een deftig hoedje op de hoek omfietsen. En achterop, in een rieten mandje, zit een wit poedeltje met strikjes keihard te blaffen.

Iedereen op het plein juicht en Bart slaat op Daans schouder. 'Leer je dat hondenfluitje ook aan mij?'

Meester Fred stopt twee vingers in zijn mond en laat een harde fluit horen. Ffieieieiet! Iedereen wordt stil. 'Dat is de voetbalfluit,' zegt hij. 'Handig voor een scheidsrechter die zijn fluitje vergeten is!'

'Ik hou niet zo van voetbal,' zegt Li Mei. 'Kunt u mij iets anders leren?'

'Ja, hoor,' zegt meester Fred. 'Dit is een fluitje als je een leuk meisje tegenkomt.' Pjie-wiet!

Daan herkent het fluitje van de stratenmakers.

'O, dan ken ik er ook nog wel een, meester!' roept Samira. Pjie-wiet!

'Dat is toch hetzelfde?' vraagt Daan.

'Nee, hoor. Dit is het fluitje als ik een leuke jongen tegenkom!'

'Je hebt helemaal gelijk, Samira!' lacht meester Fred. 'Laten we het een fluitje voor leuke mensen noemen.'

Samira kijkt naar Daan. Pjie-wiet!

Hij kijkt snel of er iemand op hem let. Maar hij vindt het stiekem wel leuk.

'Kijk jongens, ik heb nog één fluitje.' Meester Fred trekt een lange grasspriet tussen de tegels vandaan en klemt hem tussen zijn duimen. Als hij erop blaast, klinkt er een hoog en snerpend geluid. Wieieieiew! Heel veel kinderen houden hun handen voor de oren.

'Dit is de grasfluit. Lekker hard, hè?' De meester blaast nog eens. Wieieieieieieieiew!

'Hé, wat is dat voor lawaai!' Juffrouw Riet van de bovenbouw hangt uit het raam. 'Het is toch nog geen pauze?' roept ze.

Daan voelt een tikje van Samira op zijn schouder. 'Let op,' fluistert ze.

Ze gaat achter de kastanjeboom staan en fluit zo hard ze kan: pjie-wiet!

Juffrouw Riet kijkt boos naar meester Fred. 'Wat zijn dat voor rare grapjes?'

De meester kijkt om zich heen. Hij weet even niet wat hij moet zeggen.

Daan doet een stap naar voren. 'Het is geen grapje, juffrouw. Dat is ons fluitje voor leuke mensen!'

Even blijft het stil. Daan ziet dat juffrouw Riet helemaal rood wordt. Ze schudt haar hoofd en trekt het raam met een klap dicht.

Meester Fred steekt een duim op naar Daan en loopt dan fluitend naar binnen. Iedereen probeert zo hard mogelijk mee te fluiten. Daan doet natuurlijk zijn hondenfluit. Jammer genoeg is er geen hond meer die hem kan horen!

De tijd vliegt

Als Daan de klas in loopt, zitten bijna alle kinderen al in de kring.

Samira zwaait. 'Kom naast mij zitten.'

Eigenlijk wil meester Fred niet dat ze een plek voor iemand bezet houden. Altijd naast dezelfde zitten maakt het leven maar saai, zegt hij. Dat vindt Daan helemaal niet. Het is juist veel gezelliger als hij altijd naast Samira mag zitten. Gelukkig is meester Fred nog niet in de klas.

'Weet jij hoe laat het is?' vraagt Samira.

Daan schrikt. 'Ben ik te laat?'

'Nee hoor, precies op tijd.' Samira stroopt een mouw op. 'Kijk maar!'

Om de pols van Samira glimt een prachtig zilveren horloge.

'Oh, wat mooi. Ik wist niet dat jij een horloge had.'

'Had ik ook niet,' zegt Samira glunderend. 'Deze is hartstikke nieuw. Gekregen van oma, omdat ik zo'n goed rapport had.'

Bart buigt naar voren. 'Wil je mijn rapport ook even aan jouw oma laten zien?'

'Nee hoor,' lacht Samira. 'Ze heeft maar één horloge gekocht. Deze komt helemaal uit China.' Ze maakt het bandje los. 'Kijk maar, het staat achterop.'

'Het is een dure,' zegt Bart. 'Digitaal.'

Daan snapt nog niet zo veel van een digitale klok. Boven de

deur hangt een gewone klok, daar kan hij de tijd wel op zien. Het is nu een beetje over half negen.

'Hé jongens, het is al lang tijd,' roept hij. 'Waar blijft meester Fred nou?'

De klas wordt stil. Iedereen kijkt naar de klok.

'Ha, meester Fred is te laat!' roept Sjaak. 'Dan moet hij nablijven!'

'Doe niet zo raar, joh.' Mehmet loopt naar de deur. 'Iedereen mag wel eens te laat komen, dus meester Fred ook.'

'Maar toen ik gisteren te laat was moest ik wel...!'

'Ja, jij,' grinnikt Mehmet, 'jij komt bijna iedere dag te laat.' Hij kijkt even de gang in. 'Niemand te zien.'

'Wat moeten we nu doen?' zegt Li Mei. Ze kijkt een beetje benauwd.

'Dat lijkt me niet zo moeilijk,' zegt Sjaak. 'Laten we lekker buiten gaan spelen.'

'We kunnen toch ook zelf beginnen?' fluistert Daan tegen Samira.

'Ja, dat is een goed idee!' roept Samira. 'Jongens, Daan zegt dat we meester Fred niet nodig hebben. We doen alles zelf.' Ze pakt de map van meester Fred en geeft hem aan Daan. 'Jij mag de namen voorlezen. Ga maar in zijn stoel zitten.'

Daan slikt. Dat was niet zijn bedoeling. Hij geeft de map door aan Bart. 'Ik hoef niet, doe jij het maar.'

Sjaak springt omhoog. 'Mag ik de meester zijn?'

Maar Bart geeft Daan een duw. 'Nee hoor, Daan is een hele goede meester.'

'Ja, leuk!' roept Li Mei, die naast de lege stoel van de meester zit. 'Dan mag ik naast meester Daan zitten.'

'Meester Sjaak klinkt veel beter,' zucht Sjaak.

Daan sjokt langzaam naar de stoel. Hij weet niet eens of hij alle namen wel kan lezen. Maar het is helemaal niet zo moeilijk. Hij hoeft bijna niet in de map te kijken, want hij kent de volgorde uit zijn hoofd.

De kinderen zeggen allemaal: 'Goedemorgen!' Of: 'Present.' Alleen Sjaak mompelt iets onduidelijks. Hij kijkt nog steeds een beetje boos.

Daan doet de map dicht. 'Iedereen is er,' zegt hij.

'Niet waar,' moppert Sjaak. 'Er mist er nog één.'

Op dat moment gaat de deur met een zwaai open.

Gelukkig, daar is meester Fred, denkt Daan. Maar het is juf Riet van de bovenbouw.

'Zo, wat zitten jullie braaf in de kring,' zegt ze met een harde stem. 'Jullie missen meester Fred natuurlijk.'

Bart zegt: 'Nee hoor, we waren alvast zelf begonnen.'

Maar juf Riet doet alsof ze hem niet hoort. Ze loopt naar de stoel van meester Fred. Daan gaat snel terug naar zijn eigen plek.

'Ik kom in de klas, want jullie meester is even met zijn dochter naar de dokter,' zegt juf Riet. 'Hij komt pas na de eerste pauze terug.'

Daan steekt zijn vinger op. 'Hoe laat komt meester Fred terug?'

'Dat heb ik net gezegd, ventje. Na de eerste pauze, om half

elf.' De stem van juf Riet klinkt ongeduldig. 'O wacht, jullie kunnen natuurlijk nog niet zo goed klokkijken. Maar goed dat ik er ben.'

Samira gaat staan. 'Juffrouw Riet, wij kunnen wel alleen blijven. Wij weten precies wat er moet gebeuren.'

'Ja ja, dat zeggen ze allemaal.' Juf Riet kijkt de klas aan. 'Maar dat gaat natuurlijk niet, dan wordt het een puinhoop.'

'Nee, hoor,' zegt Li Mei, 'Daan is onze nieuwe meester. Hij vertelt wat we gaan doen.'

Daan zegt niets. Hij krijgt het helemaal warm.

Sjaak gaat ook staan. 'Wij luisteren wel naar Daan. Dan kunt u terug naar uw eigen klas. Anders wordt het daar een puinhoop.'

'Zij kunnen het wel alleen, jochie, want ze zijn al veel ouder,' zegt juf Riet. 'En ik heb een stagiaire.'

'Maar wij kunnen...!'

'Mond dicht.' Juf Riet wacht tot het helemaal stil is. Dan kijkt ze Daan aan. 'Nou, als jij zo'n goede meester bent, kun jij vast ook wel vertellen wat er nu moet gebeuren.'

Daan slikt. Hij durft de juf bijna niet aan te kijken en zegt zacht: 'Meester Fred... eh... vraagt altijd of iemand iets wil vertellen.'

'Juist.' Juf Riet kijkt naar de klok. 'Nou, we hebben al veel gekletst, dus ik laat er nog eentje vertellen. Wie heeft er iets heel belangrijks meegemaakt?'

Niemand zegt iets.

'Dus jullie hebben niets meegemaakt,' zegt juf Riet. 'Bij mij in de bovenbouw beleven ze veel meer.'

Daan stoot Samira aan en wijst naar haar pols.

Ze twijfelt even, maar dan steekt ze langzaam haar vinger omhoog.

'Aha, toch nog een verhaal. Vertel het maar, meisje, maar niet te lang!'

'Ik heb een nieuw horloge gekregen van mijn oma.' Samira laat het zien aan de klas. 'Het is digitaal.'

'En duur,' zegt Bart.

Juf Riet knikt. Maar Daan ziet dat ze het niet gelooft. Dat is omdat ze niet weet dat het uit China komt.

'Er zit ook een lampje op,' zegt Samira, 'en een wekker.'

'O, dat is handig voor jullie,' zegt juf Riet. 'Ikzelf kijk altijd op de klok in de klas. Zet de wekker maar op half elf. Dan kunnen jullie eerst rekenen en een verhaal schrijven. En als de wekker van Samira gaat, mogen jullie buiten spelen.'

Als iedereen al heel lang aan het rekenen is, gaat juf Riet even naar haar eigen klas.

Bart legt zijn pen neer. 'Van mij mag die wekker nu wel gaan,' zegt hij. 'Ik heb zin om buiten te spelen.'

Samira kijkt op haar horloge. 'Dan moet je nog wel even wachten. Het is nog niet eens tien uur.'

Bart zucht. 'Kun je de tijd niet veranderen?'

Sjaak springt omhoog. 'Ja, dat is een goed idee. Zet hem maar op één minuut voor half elf, dan gaat de wekker bijna af!'

Daan kijkt naar Samira. Hij vindt het eigenlijk wel een goed idee van Sjaak. 'Durf je dat?'

Samira aarzelt. 'Ik durf het wel, maar dan moet iemand de klok boven de deur ook verder zetten, anders heeft ze het door.'

'Geen probleem,' roept Bart, 'dat doe ik wel!'

'Dan ga ik op wacht staan,' zegt Sjaak. Hij rent snel naar de gang. 'Toe maar. Geen Frietje te zien!'

Bart schuift zijn tafel onder de klok. Maar als hij erop gaat staan, kan hij er nog steeds niet bij. 'Iemand moet op mijn schouders.'

De hele klas kijkt naar Li Mei. Zij is het lichtst van iedereen. Maar Li Mei schudt beslist van nee. 'Dat durf ik echt niet. En ik kan ook nog niet klokkijken.'

Bart kijkt naar Daan. 'Durf jij op mijn schouders, Daan?'

Daan wil ook nee zeggen, maar hij knikt toch. Stom, nou moet hij wel.

Het is echt eng, maar Bart is heel sterk. Daan kan precies bij de klok. Wat een geluk dat hij deze klok wel snapt. Hij schuift de grote wijzer een stuk vooruit.

Plotseling sist Sjaak: 'Daar komt ze!'

Daan schrikt zich rot, hij valt bijna naar beneden. Maar gelukkig zakt Bart snel door zijn knieën zodat Daan veilig op de grond kan springen. Binnen drie tellen zit iedereen weer boven zijn rekenwerk gebogen. Als juf Riet naar binnen stapt, heeft ze niets in de gaten.

Daan probeert een som te maken, maar ondertussen gluurt hij naar de klok. Het is al bijna half elf, straks gaat de wekker.

Niemand is echt aan het werk en als de grote wijzer al over half elf kruipt beginnen sommige kinderen te wiebelen.

'Doet hij het wel?' fluistert Daan naar Samira.

'Zeg, werk eens door,' roept juf Riet. 'Je moet je hersens laten werken, niet je mond!'

Daan knijpt zijn lippen stijf dicht. Het is nu zo stil dat hij de klok hoort tikken.

Plotseling klinkt er een hele harde piep door de klas. Iedereen schrikt ervan.

Juf Riet ook. 'Waar komt dat...!'

Samira steekt haar arm met het horloge omhoog en drukt de wekker uit.

'O, het is jouw horloge.'

Sjaak klapt zijn boek met een knal dicht. 'Dan mogen we nu naar buiten!'

Juf Riet kijkt naar de klok boven de deur. 'Ja, je hebt gelijk... Wat vliegt de tijd, zeg. Dan moet ik mijn klas ook even waarschuwen.'

De klas van Daan is nog maar net buiten als juf Riet een raam van haar lokaal opengooit. 'Willen jullie direct weer binnenkomen?' roept ze met een rood hoofd. 'Het is in mijn klas pas tien uur, dat horloge is niks waard!'

Op dat moment komt meester Fred het plein op fietsen. Iedereen rent snel naar hem toe.

Li Mei grijpt hem bij zijn arm en trekt hem bijna van de fiets. 'Ik ben zo blij dat u er weer bent!'

'Nou, anders ik wel,' lacht meester Fred. 'Mijn dochter mankeert gelukkig niets ernstigs. Maar ik heb wel de halve ochtend in zo'n benauwde wachtkamer gezeten. Ik ben blij dat jullie al buiten zijn!'

'Meester Fred?' Juf Riet staat nog steeds bij het raam. 'Ze houden ons voor de gek hoor, het is nog geen pauze.'

Meester Fred doet net alsof hij haar niet verstaat. Hij steekt zijn duim op. 'Dank u wel, juf Riet!'

'Het is wel pauze op mijn horloge, meester Fred.' Samira steekt haar arm naar voren.

'Hé, heb jij een nieuw horloge?' zegt meester Fred. 'Wat een mooie.'

'Hij komt helemaal uit China,' zegt Daan.

'O, dat zijn de beste,' zegt meester Fred. 'Dan is het zéker pauze!'

Lang zal hij leven

Het is vroeg. Er is nog bijna niemand op school. Daan loopt naast zijn moeder door de gang. Met twee handen draagt hij een grote mand. Niemand kan zien wat erin zit, want er ligt een glimmende rode doek overheen. Aan de zijkant dansen een paar vrolijke ballonnen. Die heeft papa er thuis nog even vlug aan vastgemaakt. 'Dat zijn dan de manen die rond de aardbeienplaneet draaien!' zei hij.

Daan heeft vanmorgen dertig stokjes met aardbeien gemaakt, en bovenop een framboos. Mama heeft ze in een halve kool geprikt. Dat ziet er grappig uit. Er zit zilverpapier om de kool en nu lijkt het net een planeet. Daan is er heel trots op, want nu passen de raketjes er goed bij. Kleine raketjes met klappertjes, die je buiten omhoog kunt gooien. Het knalt lekker hard wanneer ze op de tegels vallen. Alle kinderen mogen er één kiezen bij de prikker met aardbeien. Daan probeert het laatste stukje naar zijn klas te huppelen. Dat is best moeilijk met zo'n zware mand.

Het lokaal is nog leeg, alleen meester Fred is er al. 'Hé, wie komt daar zo vroeg binnen?'

Daan blijft in de deuropening staan. Maar meester Fred loopt direct naar hem toe. 'O, nou zie ik het. Jij bent het! Daan! Ik herkende je bijna niet. Duidelijk een jaartje ouder geworden!'

Leuk dat meester Fred dit zegt, want hij voelt zich ook ouder.

Zeven! Dat is toch veel meer dan zes?

Zijn moeder geeft hem een duwtje. 'Laat meester Fred de planeet maar even zien. Het is iets lekkers en...!'

'Nee, niet zeggen!' roept Daan. 'Dat doen we nooit. Het moet een verrassing blijven!'

Mama lacht. 'Maar meester Fred mag het toch wel even zien?'

'Nee hoor, ik ook niet,' zegt de meester. Hij geeft Daan een knipoog. 'Ik ben juist dol op verrassingen.'

Daan geeft zijn moeder een afscheidskus en zet de mand op de kringtafel. Plotseling bonst meester Fred keihard op de ramen. 'Potverdikke! Willen jullie daar wel eens mee ophouden!' De meester opent een raam. 'Ksst! Ophoepelen jullie. Ga maar ergens anders eten pikken!'

Daan komt naast meester Fred staan. Hij ziet een paar zwarte vogels wegvliegen. Eén vogel blijft rustig zitten in het schooltuintje van zijn klas.

'Ze eten alle zaden op, Daan!' zegt meester Fred. 'Hier moeten we iets op verzinnen, anders hebben jullie helemaal voor niets gezaaid!'

'Misschien moeten we een vogelverschrikker maken,' zegt Daan.

Meester Fred klapt hard in zijn handen door het open raam. De kraai kijkt even schuin omhoog en maakt een gek geluid. Het lijkt wel alsof hij meester Fred uitlacht en daarna pikt hij weer vrolijk verder in de aarde.

'Ik denk dat het wel een hele enge vogelverschrikker moet worden,' zegt Bart die net binnengekomen is. 'Want als de vogels zelfs niet schrikken van meester Fred...!'

'Ja ja, ik snap het al!' bromt meester Fred. 'Maar je hebt gelijk. Tegen deze beesten moeten we hardere maatregelen bedenken!'

Daan zit naast meester Fred in de kring. Dat hoort bij jarig zijn. De anderen zijn nu ook bijna allemaal binnen. Veel kinderen hebben hem al even gefeliciteerd. Sommigen hebben gevraagd wat de traktatie is. Maar hij zegt natuurlijk niets. Het is leuk om iets te weten wat de anderen niet weten! Zelfs aan Samira heeft hij niets verteld.

Plotseling springt Sjaak de klas in. 'Handen omhoog!' Hij houdt een glimmend pistool naar voren gericht.

De kring met kinderen is ineens stil en iedereen kijkt verbaasd naar Sjaak. Li Mei is de enige die haar beide handen in de lucht steekt. 'Is het een echte?' vraagt ze zacht.

Maar meester Fred wacht niet op het antwoord. 'Ik schrik me rot, Sjaak! Leg dat pistool maar even op mijn bureau. Je weet dat ik niet zo van die knaldingen hou!'

'Het is maar een nepperd hoor, meester.' Sjaak zwaait met zijn pistool in de rondte. 'Hij schiet niet. Kijk maar, er zit helemaal niks in!'

'Leg hem toch maar weg,' zegt de meester. Hij kijkt naar Daan. 'Ik geloof niet dat we hem vandaag op deze feestdag nodig hebben. Of wel?'

Daan zegt niets terug. Hij staart naar de verjaardagsmand in het midden van de kring. Het fijne gevoel is één klap verdwenen. Zomaar ineens. Hij kijkt naar Sjaak die met een boos gezicht in de kring gaat zitten. Het komt niet door Sjaak. Sjaak kan er niets aan doen. Daan vond het zelfs wel grappig, zo'n overval in de klas. Het komt door meester Fred. Door wat hij gezegd heeft. 'Je weet dat ik niet zo van die knaldingen hou!' Dat zei hij! Hij houdt niet van knaldingen! Daan slikt. Het voelt alsof er iets in zijn keel zit. Maar het gaat niet weg.

Meester Fred leest de namen op om te kijken of iedereen er is. Daan ziet de lippen van de kinderen bewegen als ze antwoorden. Maar hij hoort niets. Waarom zegt de meester dat nu pas, dat hij niet van knaldingen houdt? Nu heeft hij een mand vol raketten. Een mand boordevol met van die knaldingen.

'Daan?'

Misschien kan hij maar beter helemaal niet trakteren?

'Dáán?'

Misschien moet hij vragen of hij naar huis mag. Hij voelt zich trouwens ook helemaal niet lekker.

'DAAAN!'

Daan schrikt. Alle kinderen kijken hem lachend aan. Meester Fred heeft zijn handen als een toeter bij zijn mond. 'Je bent wel een jaartje ouder geworden, maar ik hoop niet dat je nu al doof aan het worden bent!'

Daan probeert te glimlachen, maar zijn mond wil niet bewegen.

Samira, die ook naast hem zit, legt een hand op zijn arm. 'Wat is er, Daan?' fluistert ze. 'Ben je ziek?'

Hij kijkt haar aan, maar zegt niks.

'Meester? Daan is ziek!' De stem van Samira klinkt een beetje bang. 'Ik denk dat hij over moet geven!'

Meester Fred loopt direct naar Daan. 'Wat is dit nou, jongen? Ziek op je eigen verjaardag?'

'Ja, dat heb ik ook altijd,' zegt Li Mei. 'Dat komt doordat het zo spannend is.'

'Of door de taart,' roept Sjaak. 'Ik had een keer mijn hele chocoladetaart opgegeten en toen kotste ik alles onder...!'

'Ja, ho maar, Sjaak,' zegt meester Fred met een vies gezicht, 'dat hoeven we niet te horen.'

Hij legt zijn hand op Daans voorhoofd. 'Oei, jij bent hartstikke warm! Het lijkt wel alsof je koorts hebt.'

'Zal ik even met Daan naar het toilet gaan, meester?' vraagt Samira. 'Dan kan hij wat water drinken.'

'Ja, ja, dat is een goede idee,' zegt meester Fred.

Daan sjokt langzaam naar de deur. Samira heeft een arm om zijn schouder geslagen.

'Wil je naar huis, Daan?' vraagt meester Fred. 'Dan bel ik je moeder. Of wil je het nog even proberen?'

Daan kijkt naar de verjaardagsmand op het tafeltje. Hij had zich zo verheugd op deze dag. De heerlijke aardbeien voor alle kinderen, samen met Samira langs alle meesters en juffen en natuurlijk dat leuke cadeautje. Die knaldingen...

Daan knikt naar meester Fred. 'Ik wil naar huis.'

Lang zal hij leven (deel 2)

'Wat ben jij een pechvogel,' zegt Samira. 'Dat je nou precies op je verjaardag ziek wordt.'

Daan neemt nog een laatste slok onder de kraan. Hij voelt zich alweer een stukje beter. 'Zeg dat wel. Ik had er net zo'n zin in.'

'Maar je kunt toch eerst nog wel trakteren?'

'Nee, natuurlijk niet,' zegt Daan vlug. 'Stel je voor dat ik moet overgeven.' Daan moet zijn best doen om zijn stem nog een beetje ziek te laten klinken.

Hij voelt dat Samira hem aankijkt. Maar hij kijkt niet terug.

'Heb je een leuke traktatie?'

'Gaat wel.'

'Nou, dat klinkt niet echt bijzonder!'

Daan zegt niks.

'Als je niet trakteert, kun je ook wel vertellen wat het is...'

'Nee hoor, dat moet een verrassing blijven.'

'Zelfs voor mij?' Samira gebruikt haar lieve zeurstem, dat kan ze heel erg goed. 'Je kunt het toch wel aan je allerbeste vriendin vertellen...?'

Daan veegt wat druppels water van zijn lippen. Hij zucht. 'Beloof je dat je het aan niemand doorvertelt?'

'Erewoord!' Samira spuugt tussen twee vingers door in de wasbak.

'Ik... eh... ik heb aardbeien aan een stokje.'

'Mmmm. Aardbeien!' roept Samira.

'En een framboos,' zegt Daan.

'Lekker. Dat is mijn lievelingsfruit.'

Daan knikt. Daarom heeft hij het ook gekozen. 'En van die knaldingen,' fluistert hij.

'Knaldingen?' vraagt Samira verbaasd. 'Bedoel je pistolen, zoals die van Sjaak?'

'Nee, geen pistolen. Raketjes!'

'Raketjes die knallen?' Samira begrijpt hem nog steeds niet.

'Ja, als je ze omhoog gooit. Dan knallen ze op de stenen!'

'Wat leuk, die ken ik niet!' roept Samira. 'Het klinkt super!'

'Helemaal niet super,' zucht Daan. 'Meester Fred houdt niet van knaldingen. Dan moet iedereen zijn raketje inleveren.'

'Doe niet zo gek, joh!' roept Samira. 'Meester Fred houdt niet van pistolen, maar wel van deze dingen!'

'Raketten,' verbetert Daan.

'Precies, raketten!' zegt Samira. 'Daar houdt hij juist wel van. Hij is dol op ruimtevaart.'

Daan is niet overtuigd. 'Dat zijn de sterren en de maan,' zegt hij. 'Maar geen knalraketten!'

'Hoor ik daar iets over raketten?' Bart komt de wc binnen.

'Nee! Niks!' bromt Daan. Hij draait zich om naar de muur.

'Oké, dan niet,' zegt Bart. 'Trouwens, ik moest van de mees vragen hoe het met je gaat.'

Even blijft het stil. Dan raakt Samira Daans rug aan. 'Mag ik het zeggen, Daan? Van de traktatie?'

Daan tilt zijn schouders een beetje op. 'Doe maar,' klinkt het schor. 'Ik ga toch niet trakteren.'

'Daan gaat op knalraketten trakteren, maar...!'

'Van die raketjes met een klappertje erin?' roept Bart. 'Die zijn onwijs leuk!'

Daan voelt een vrolijke klap op zijn rug en draait zich om. Er kruipt weer iets van dat fijne gevoel bij hem naar binnen.

'Maar hij denkt dat de meester het niet leuk vindt,' zegt Samira.

'Tuurlijk wel. Meester Fred vindt alles leuk! Behalve kraaien dan!' lacht Bart.

Daan merkt dat hij bijna mee gaat lachen. 'En knaldingen,' zegt hij. 'Meester Fred houdt ook niet van knaldingen.'

'O, je bedoelt dat pistool van Sjakie. Dat was alleen maar omdat hij die dingen niet in de klas wil.'

'Precies, dat wou ik ook zeggen!' roept Samira. 'Jouw raketjes zijn voor buiten.'

'Wacht eens even.' De stem van Bart klinkt plotseling geheimzinnig. Hij buigt zich naar Daan toe en fluistert: 'Ik bedenk ineens dat meester Fred juist heel blij zal zijn met jouw traktatie.'

Twee minuten later stappen ze het lokaal weer in. Daan voorop.

Meester Fred zit nog met de kinderen in de kring. 'Wat zie jij er plotseling goed uit, Daan!' roept hij. 'Kwam je een dokter tegen in het toilet?'

'Nee hoor,' zegt Bart. 'Een waterkraan. Dat water is echt toverwater!'

Daan gaat vlug naast de meester zitten en kijkt naar de mand. De doek ligt er nog netjes overheen.

'Heeft u mijn moeder al gebeld?'

'Ze nam niet op,' zegt de meester.

'Gelukkig!' lacht Daan.

'Gaan we nu eindelijk Daans verjaardag vieren, meester?' vraagt Li Mei.

Meester Fred kijkt naar Daan. 'Wat denk je ervan?'

Daan kijkt even naar Bart en gaat dan vlug staan. Hij is er helemaal klaar voor.

'Stoel of schouders?' vraagt de meester.

Als je jarig bent, mag je op de stoel staan, maar je mag ook voor de schouders van meester Fred kiezen.

Daan hoeft er niet over na te denken. Hij spreidt zijn armen. Meester Fred pakt hem vast onder zijn oksels en in één zwaai zit Daan boven op zijn schouders.

Daan kijkt de kring rond. Hij kan iedereen heel goed zien. Samira zwaait even naar hem en Bart steekt zijn duim op. Dan zet meester Fred het eerste liedje in. Tijdens het zingen loopt hij met grote stappen door de kring. Daan voelt zich weer helemaal jarig. Jammer dat het na drie liedjes al afgelopen is.

Als hij weer op zijn stoel zit, mag hij iemand aanwijzen om de verjaardagstaart te pakken. Dat wordt Samira, natuurlijk. Zij haalt een vrolijk gekleurde taart van gips uit de kast. Deze komt naast de mand op de kringtafel te staan.

Het wordt helemaal stil in de klas als Samira zeven kaarsjes op de taart zet.

Meester Fred pakt de aansteker en steekt ze aan. 'Heb je een leuke wens, Daan?'

Daan knikt. Hij kijkt naar de rode doek die over zijn traktatie ligt. 'Ik heb een hele leuke wens!'

De klas telt af. Daan neemt een grote hap lucht en bij drie blaast hij in één keer alle kaarsjes uit. De klas juicht en Samira klapt extra hard in haar handen.

'Ik ben nu wel heel benieuwd wat er in de mand zit, Daan!' zegt meester Fred.

Iedereen wordt direct weer stil.

Daan pakt de punt van de rode doek vast. Hij voelt zijn hart bonzen. Hij twijfelt nu toch weer. Misschien was het toch niet zo'n goed idee van Bart...

'Toe nou, Daan,' giechelt Li Mei. 'Je maakt het veel te spannend.'

Dat is het ook, denkt Daan. Hij doet zijn ogen dicht en dan trekt hij met één ruk de doek weg. Bijna alle kinderen gaan staan om het goed te kunnen zien. Als Daan de aardbeienplaneet voorzichtig uit de mand tilt beginnen er weer een paar kinderen te klappen.

'Mmm! Aardbeien!' roept Li Mei. 'Lekker!'

'Met een framboos,' zegt Samira. 'Nog lekkerder.'

Daan voelt zich helemaal warm worden.

'Er zit nog iets in de mand, hoor!' roept Bart.

'Echt waar?' vraagt Mehmet. 'Laat eens zien!'

Daan kijkt even naar meester Fred en haalt heel diep adem. Dan steekt hij een raketje in de lucht.

Meester Fred kijkt hem vragend aan. 'Wat is het, Daan?'
Daan slikt. Zijn mond is helemaal droog.

Dan springt Samira naar voren. 'Dat kunt u toch wel zien, meester! Het zijn vogelverschrik-raketten!'

De ogen van meester Fred worden steeds groter. 'Echt waar, Daan?'

'Ja, meester!' roept hij. 'Tegen de kraaien buiten en... eh... ook gewoon om mee te spelen.'

Meester Fred klopt Daan op de rug. 'Maar dat is geweldig, jongen. Begin maar snel met trakteren, dan gaan we direct naar de tuin.'

'Mag ik mijn pistool dan ook meenemen?' roept Sjaak.

'Maar die doet het toch niet?' vraagt meester Fred.

'Nee, maar dat weten die vogels niet,' lacht Sjaak.

'Daar heb je gelijk in,' zegt meester Fred.

Even later klinkt er buiten een oorverdovend lawaai. Binnen een paar tellen zijn alle kraaien uit de tuin verdwenen.

Meester Fred staat met zijn handen voor zijn oren. 'Dit is echt een knalfeest, Daan!' brult hij.

Daan glundert. Daar is hij het helemaal mee eens!

Een nieuwe beker

Kort – lang – kort! Daan drukt zijn geheime code op de bel. Dan weet Samira dat hij het is. Kort – lang – kort, zoals de letters in zijn naam: D AA N.

'Ik kom eraan!' roept Samira vanaf het balkon op de tweede etage. 'Alleen nog even limonade in mijn beker doen. Kijk, ik heb een nieuwe met een superdop. Die kan niet lekken.'

Daan kijkt en steekt zijn duim omhoog. Samira zwaait met iets, maar hij kan het vanaf hier niet zien.

Hij gaat op het stoepje zitten. Dit kan nog wel even duren. Daan neemt altijd een pakje appelsap mee naar school, maar Samira lust alleen maar limonade. Frambozenlimonade, lekker zoet.

Plotseling schiet Samira voorbij. 'Hé, schiet eens op, dromer. Straks komen we nog te laat.' Haar vlechtjes dansen op en neer terwijl ze de hoek om schiet.

Daan staat rustig op. Hij kent Samira langer dan vandaag. Die zit straks natuurlijk op dat bankje voor de slager en zegt dan dat ze al een uur aan het wachten is. Trouwens, ze hoeven zich ook niet te haasten, hij is vroeg van huis gegaan en de school ligt maar twee straten verder.

Hij klopt wat zand van zijn broek, steekt zijn handen in z'n zakken en wandelt zo langzaam mogelijk de hoek om.

Daan probeert niet naar het bankje te kijken. In de grote winkelruiten kan hij alles goed in de gaten houden. Bij de slager blijft hij stilstaan. Er ligt een lachend varken van plastic tussen de schalen met worsten in de etalage. In de spiegeling van de ruit ziet Daan een groepje fietsers achter hem langs rijden. Een rode auto scheurt met piepende banden weg. En aan de overkant loopt een grote hond. Daan doet een stap opzij om het houten bankje te kunnen zien... Leeg!

Wat gek, dat had hij niet verwacht! Dan gaat hij zelf maar even zitten. Samira komt vanzelf weer tevoorschijn. Die houdt het nooit lang vol.

Daan probeert zijn hondenfluitje nog eens. Hij tuit zijn lippen en blaast zo hard mogelijk. Er komt geen geluid, maar de hond aan de overkant begint direct te blaffen. Ja, het fluitje werkt nog steeds. Maar goed dat Samira hier niet is, zij houdt helemaal niet van grote honden.

Daan gluurt ondertussen goed om zich heen. Waar zou ze verstopt kunnen zitten? Zou ze bij de slager naar binnen zijn gegaan? Nee, Samira eet geen vlees. Daan krijgt nog wel eens een stukje worst van de slager, maar Samira vindt het plastic varkentje al zielig.

Of is ze toch alleen naar school gegaan? Maar ze hadden afgesproken om vandaag samen te gaan...

Dan voelt hij plotseling iets kleverigs op het bankje. Getsie! Hij ruikt heel voorzichtig aan zijn hand. Frambozenlimonade? Aha, dat moet Samira zijn!

Onder de bank ligt een grote natte vlek. Daan grinnikt. Dan sluit die superdop dus toch niet zo goed.

Wacht eens even. Er loopt een heel druppelspoor bij het bankje vandaan. Hij springt omhoog. Handig zo'n lekkende beker, nu hoeft hij alleen maar het spoor te volgen. De limonadedruppels maken een klein bochtje en gaan dan naar de stoeprand toe. Dus is ze overgestoken, denkt Daan.

Klopt! Het spoor gaat in een rechte lijn naar de overkant. Daan steekt ook over, het is niet zo druk. Een paar fietsers en nog steeds die blaffende hond.

Aan de overkant heeft Samira vast even getwijfeld waar ze zich moest verstoppen, want het spoor slingert eerst alle kanten op. Ze heeft zelfs een rondje om de prullenbak gelopen. Daarna gaan de druppels met een boog naar... de boom!

Gevonden, denkt Daan. Maar hij doet geen stap verder, want er is nog iemand die Samira gevonden heeft. Daarom stond die hond zo te blaffen!

'Hè hè, Daan. Ben je daar eindelijk?' De stem van Samira komt van hoog uit de boom. Daan ziet twee bruine benen uit de groene bladeren steken. Dan gaan de takjes opzij en komt ook haar hoofd tevoorschijn.

'Ik zit hier al een uur op je te wachten.' Samira's gezicht is helemaal verhit. 'Wil je dat blaffende monster wegjagen, want zo kan ik er niet uit.'

De hond is van dichtbij nog veel groter. Hij heeft grote scherpe tanden, ziet Daan. En met zijn lange tong likt hij aan de boomstam.

'Ik geloof dat hij jouw limonade lekker vindt,' roept Daan.

De hond draait zijn kop naar Daan. Er druipt een beetje

speeksel langs zijn tanden. Daan doet vlug een stap achteruit.

'Ik denk niet dat ik het monster weg kan jagen,' zegt hij. 'Misschien moet je de beker heel ver weg gooien, dan rent hij er vast achteraan.'

'Ja, ik ben niet gek! Die beker is splinternieuw!'

'Maar hij lekt wel.'

'Kun je het beest niet lokken of zo?' vraagt Samira. 'Wat heb jij in je tas?'

'Appelsap,' zegt Daan. 'Dat lust hij vast niet.'

'En op je brood?'

'Hagelslag. En jij?'

'Kaas,' roept Samira. 'Dat lusten honden niet, ze hebben liever worst.'

'En frambozenlimonade,' zucht Daan.

Hij draait zich om. Straks komen ze ook nog te laat op school. Drie mannen met zwarte tassen lopen vlug voorbij, ze hebben duidelijk haast.

Aan de overkant zet de slager een groot bord op de stoep. Daar staat ook een lachend varken op getekend.

Wacht eens even! Daan loopt terug naar de straat.

'Hé, wat ga je doen?' roept Samira.

Daan steekt vlug over. 'Ik ben zo terug!'

Even later staat Daan weer bij de boom.

'Waar was je nou?' roept Samira.

Daan steekt zijn hand omhoog. 'Kijk eens wat ik heb? Worst.'

'Wat een superidee!' De takken schudden wild heen en weer.

Het lijkt net alsof Samira uit de boom valt. Maar dan verschijnt haar vrolijke gezicht weer tussen de bladeren.

De hond heeft ook iets geroken. Langzaam draait hij zich om. Het lijkt nu wel een kwijlend monster. Hij is de limonade duidelijk vergeten en kijkt met hele grote ogen naar de worst in Daans hand.

'Snel, Daan,' roept Samira. 'Gooi weg.'

Daan twijfelt. Hij kan helemaal niet zo ver gooien.

Dan ziet hij de prullenbak. Hij rent ernaartoe. Eerst laat hij het stuk worst nog een keer goed aan de hond zien. Die begint te blaffen en springt naar voren.

Daan stopt de worst onder in de bak en doet vlug een stap opzij. De hond vliegt langs hem en met een grote sprong duikt hij op de vuilnisbak.

'Uit de boom!' schreeuwt Daan.

Maar Samira heeft alles gezien. Ze is snel naar beneden geklommen en steekt vlug de straat over. Daan rent achter haar aan. Samen vliegen ze de hoek om. In de verte staat de school. Nog nooit hebben ze dit stuk zo hard gelopen. Het schoolplein is al leeg, maar meester Fred staat nog bij de deur. Ze rennen naar hem toe.

In de verte blaft de hond. Daan duwt meester Fred naar binnen en Samira trekt de deur vlug dicht.

'Zo, jullie willen graag beginnen,' lacht meester Fred. 'Heb je iets leuks beleefd?'

'Niet echt,' zegt Samira. Ze kijkt even naar Daan. 'Maar ik wil graag mijn nieuwe beker laten zien.'

afscheid, of toch niet?

'Vangen, Daan!' Samira staat boven op een trapje bij de rommelkast. Ze veegt met haar arm in één keer de bovenste plank leeg. Daan kan nog net opzij springen. Een wolk van stof en papier dwarrelt naar beneden.

'Wat doe je nou?'

'Opruimen!' lacht Samira.

Alle kinderen van groep drie en vier zijn hard aan het werk. Maar niet in de boeken. Die staan al netjes op een rijtje in de boekenkast. Morgen begint de zomervakantie. Meester Fred wil het hele lokaal leeg hebben. Dan kan het goed schoongemaakt worden!

Sjaak haalt de planten uit de vensterbank en draagt ze naar een tafel op de gang.

Li Mei zoekt alle kleurpotloden uit, kleur bij kleur. En Roosmarie slijpt er een lekker scherp puntje aan. 'Handig voor volgend jaar!'

Maar Daan wil helemaal niet aan het nieuwe schooljaar denken. Dan is Samira er niet meer. Zijn hartsvriendin gaat met de andere vierdegroepers naar de vijfde bij juf Lisette. Daan wordt vierdegroeper, dus mag hij nog een jaartje bij meester Fred blijven. Natuurlijk is dat hartstikke leuk, maar samen met Samira zou het nog veel en veel leuker zijn geweest.

Vanochtend hebben ze een afscheidsfeestje gevierd. De

kinderen van groep drie hadden voor alle oudsten een etui gemaakt. Meester Fred had er tien stiften in gedaan. Nieuwe, met hele mooie kleuren.

Daan vond het maar stom. Je geeft toch geen feest als je iemand gaat missen? Maar Samira was er heel blij mee. 'Ik ga niet van school, hoor. Ik schuif maar één lokaal op.'

Daan kijkt omhoog naar zijn beste vriendin. Hij heeft nog steeds een naar gevoel in zijn buik. Dat gevoel zit er al de hele dag.

Samira grinnikt. 'Wat zit je nou te dromen, suffie. Is jouw plank al opgeruimd?'

Daan schudt zijn hoofd. Hij trekt een volle doos uit de kast.

Plotseling geeft Samira een harde schreeuw. 'Meester! Meester, is dit niet uw oude opschrijfboekje?' Ze staat boven op de trap te wiebelen en zwaait met een klein groen boekje.

Meester Fred is net op weg naar de gang met twee op elkaar gestapelde tafeltjes. Hij zet ze vlug neer. 'Mijn agenda! Wat geweldig. Die ben ik al twee maanden kwijt. Lag hij in de schriftenkast?' Meester Fred is de enige die de rommelkast een schriftenkast blijft noemen. 'Dank je wel, jongens,' roept hij vrolijk. 'Misschien vinden jullie mijn zilveren pen ook wel. Die ben ik al veel langer kwijt!'

Daan kiepert zijn doos leeg. Bovenop ligt een tekening van een jongen met een bal. 'Ik ben Sjaak' staat er met grote letters op.

'Sjaak?' roept Daan. 'Deze is nog van jou.'

Sjaak zit verstopt achter een grote plant. 'O, die! Gooi maar weg. Daar was ik nog een derdegroepertje!'

'Dat ben je anders nu nog steeds, hoor,' lacht Samira.

'Nietes! Ik zit al bijna in groep vier.'

'Precies. Bijna! Pas na de vakantie!'

'Pfff,' zucht Sjaak. 'En dan ben jij gelukkig te oud voor onze groep!'

'O, dat is gemeen,' roept Daan. 'Zonder Samira is het helemaal niet leuk!'

'Dat vind jij,' grijnst Sjaak tussen de bladeren door. 'Want jij bent...!'

'Zeur niet, baby-Tarzan!' roept Samira. 'Schiet jij nou maar op met die plant.'

Daan scheurt de tekening van Sjaak in kleine stukjes.

Plotseling ziet hij onder in de doos iets glimmen. 'Oh! De pen!'

Samira heeft hem gehoord. Ze springt in één keer van de trap. 'Meester! Meester! Uw pen. Daan heeft uw zilveren pen gevonden!'

Op de gang klinkt een enorm lawaai. Het lijkt alsof alle tafels in één klap omvallen. Meester Fred komt de klas in rennen. Als hij de pen ziet, springt hij op Daan af en tilt hem met een grote zwaai de lucht in. 'Geweldig! Dat is hem. Jullie hebben hem echt gevonden! Wat een superzoekers zijn jullie toch.'

'U bedoelt Daan,' zegt Samira.

'Nee hoor, ik bedoel jullie allebei,' lacht de meester en hij zet Daan weer op de grond naast Samira. 'Wat zou ik zonder jullie moeten beginnen?'

Daan slikt. 'Dit is anders wel de laatste keer,' zegt hij zacht.

Even blijft het stil. Maar dan roept Samira: 'Meester, mag ik volgend jaar ook met Daan helpen zoeken als u weer iets kwijt bent?'

'Natuurlijk,' zegt meester Fred. 'Graag zelfs.'

Samira kijkt naar Daan. Daan kijkt naar Samira. Het vervelende gevoel verdwijnt langzaam uit zijn buik. Dit wordt geen écht afscheid. Samira komt vast nog heel vaak in de klas. Meester Fred is bijna iedere week wel iets kwijt!

René van der Velde

René van der Velde werd geboren in Friesland, maar woont al zijn halve leven in Leiden. Hij geeft les op een Jenaplanschool in Oegstgeest. Een tijdlang is hij schooldirecteur geweest, maar omdat dit steeds meer een kantoorbaan werd, is hij toch weer vooral gaan lesgeven. Na al die jaren in het onderwijs vindt hij het nog steeds heel bijzonder om kinderen te leren lezen.

De klas van Daan gaat voor goud! is zijn tweede boek. 'Ik ben de verhalen over Daan op gaan schrijven omdat ik dit soort verhalen over het schoolleven in mijn groep mis,' zegt René van der Velde. 'Juist voor de middenbouw zijn er weinig voorleesboeken met schoolavonturen. Daarnaast is het leuk om de verhalen te gebruiken bij de woordjes van het leren lezen. Ik verzin de meeste verhalen terwijl ik vertel. Dan merk ik ook aan de reacties van de kinderen welke stukjes leuk genoeg zijn om te gebruiken of welke stukken juist veel te saai zijn. Later lees ik de echte verhalen natuurlijk ook nog voor. Mijn klas fungeert dus eigenlijk als proefkonijn. Dat vinden ze helemaal niet erg. Iedereen houdt van voorlezen!'

Renés eerste boek, *De klas van Daan*, werd genomineerd voor HvA/Script+ Debutant van het Jaar.

de klas van Daan

Voor het eerst naar groep 3:
een avontuur!

'Hé stinkerd, schiet eens op! Er wonen nog meer mensen in dit huis en die moeten ook wel eens naar de wc!'

Daan zegt niks. Hij doet de deur echt niet open voor zijn zus. Er valt trouwens weinig te stinken. Hij zit met zijn pyjamabroek aan op de wc-bril en hij komt er niet meer af. Nooit meer.

Daan wil niet naar groep 3, want daar moet je vast heel serieus werken. Spelen is er natuurlijk niet meer bij. Gelukkig weet mama Daan van de wc af te praten. Anders zou hij nooit ontdekken hoe leuk het is in de klas van meester Fred. Zelfs – of liever gezegd *juist* – met leren lezen en schrijven. Als de klas het woord 'aap' leert, mag iedereen een knuffelaap mee naar school nemen!

'Geestig, warm, een mooi debuut!'
Mirjam Oldenhave